校订本

癸

事物掌故丛谈

中國遊藝研究

杨荫深 编著

上海辞书出版社

目录 CONTENTS

第一章 绪言

Preface

一　意义与范围

Significance and Scope

游艺就是游戏的艺术，并没有含着什么深奥的意义。其词或源于孔子“游于艺”（《论语·述而》）一语，但孔子所谓的艺，据何晏注是六艺，就是礼、乐、射、御、书、数，朱熹所谓“艺则礼乐之文，射、御、书、数之法，皆至理所寓，而日用不可阙者也。”（《论语集注》）一按其实，则与今日所谓的游艺全不相类。因为礼是礼制，乐是音乐，射、御是武术，书是书法，数是数学，在现今看来，除音乐尚可称为游艺之一外，其余都不属于游艺范围之内的。所以我们以为游艺一词或者源于孔子“游于艺”，而游艺的范围却是古今大不相同的。

但今日所谓游艺，如上海及各地游艺场所表演的，则范围亦殊嫌广泛。它的范围，至少有下列三方面可说：

一、戏剧 如昆曲、平剧、话剧、地方戏以及歌舞、电影等；

二、说唱 如弹词、鼓词、宝卷、相声、滑稽、清唱等；

三、杂技 此种名目甚多，如上竿、走索、踢弄、物戏、魔术等。

这样看来，游艺有戏剧、说唱、杂技三者，但戏剧与说唱，根本是一种俗文学，它们除表演说唱以外，还有文学的价值，我们以为它们应当有它们的独立性，不能包括在游艺范围之内。惟有杂技表演既不似戏剧，也无所谓说唱，说与武术相近，实则与真正武术还是不同，因为武术以讲武为主，它却以技巧供人娱乐为目的；同时它与文学也全无关系，它的本身只有一种动作的表演，没有像戏剧、说唱有剧本和唱本，即使有讲述杂技的书籍，那只是动作的记录，决不能视为文学的作品。所以此种杂技，实可称为真正的游艺。也因为游艺是游戏的艺术，除了游戏以外（亦即朱熹《论语集注》所谓“玩物适情”），实在没有什么其他意义可说的。否则游艺的范围未免太广，游艺简直就是全部的艺术了。

不过除了杂技以外，还有两种我们应当把它们包括在游艺范围之内的，即一为弈棋，二为博戏。博弈，孔子早已说过："饱食终日，无所用心，难矣哉！不有博弈者乎，为之，犹贤乎已。"（《论语·阳货》）这在孔子看来，也是一种雅戏，正如朱熹所谓"玩物适情"之事，比饱食终日、无所用心者好得多了。又如明沈津《〈欣赏编〉序》云："是编次以《古局图》《谱双》《打马图》，斯则游于艺之谓也。"《古局图》乃指司马光的《七国象戏图》，《谱双》《打马图》皆为宋人所著的博书，沈氏均认为属游艺的。盖弈棋与博戏，正如杂技只有动作的表演，专供人以娱乐嬉戏而已，实为同出一辙的游艺。且杂技最初称为角抵，文颖所谓"两两相当，角力、角技、艺、射、御"。既云两两相当，即互相比赛之意。今弈棋与博戏也无非比赛以为嬉戏，其性质实与杂技毫无歧异的地方。所以我们以为游艺的范围，说六艺固不合，说戏剧、说唱、杂技三者也不对，惟有将杂技与弈棋、博戏并称，却是名副其实的游艺。只是博戏后来变为赌钱之戏，有伤雅道，遂使人们认为洪水猛兽，非禁绝不可，然初制实非如此，否则孔子也不会说“为之，犹贤乎已”那样的话了。这只是一种例外，我们还是值得去研究它的。

二　分类与演变

Classification and Evolution

由上所述，游艺实可分为杂技、弈棋、博戏三大类。兹将这三大类的演变大略，分说如下：

首先是杂技，最早称为“角抵”，如《汉书·武帝纪》云：

元封三年春，作角抵戏。（注）文颖曰：『名此乐为角抵者，两两相当，角力、角技、艺、射、御，故名角抵，盖杂技乐也，巴俞戏、鱼龙、蔓延之属也。』

又如汉张衡作《西京赋》，其中写平乐观杂技一段，亦云“临回望之广场，程角觝之妙戏”。觝与抵同。其始起于秦时，《史记·李斯列传》曾云：“是时二世在甘泉，方作觳抵优俳之观。”觳抵亦即角抵。因此后世称杂技的，均云起自秦汉。其后又称为“百戏”，如《后汉书·安帝纪》有“罢鱼龙蔓延百戏”之语，大约后汉时又改此称。又如梁元帝《纂要》“百戏起秦汉”。皆称百戏而不名角抵了。其所以称为百戏者，大约如《隋书·音乐志》所谓“奇怪异端，百有余物，名为百戏”。盖此种杂技，名目最多，无以统之，故统之以百。至唐则又称为“杂戏”，如《旧唐书·音乐志》云：“大抵散乐杂戏多幻术。”杂亦与百意同，皆形容其名目繁多之意。其后或称百戏，或称杂戏，并无一定，要以百戏为较多。惟角抵则已专属于角力一类，即俗称相扑或争交，称此者已渐少了。

到了元代，又称为“把戏”，如徐珂《清稗类钞》云：“江湖卖技之人，如弄猴、舞刀及搬演一切者，谓之顽把戏，本元时语也。”但此“把”字颇与“百”字音近，我疑还是从百字讹读而来的。至清则又称为“杂耍”，如李斗《扬州画舫录》云：“杂耍之伎，来自四方。”其下所举杂耍，实即百戏或杂戏。现在也以称杂耍为多，其实“耍”字还是等于“戏”字的，不过看来较为不庄重而已。至于我们现在称为杂技，盖本于文颖所谓“角抵，盖杂技乐也”一语，并无特别意义的。

上面已经说过，杂技的名目甚多，诚如《隋书·音乐志》所谓“百有余物”。但要列举百余，则事实亦嫌过分琐细。大抵最早是较为简单的，后则愈增愈繁。秦时也许只如文颖所谓，仅是“角力、角技、艺、射、御”而已。汉时因通了西域，外国杂技也传了进来，于是渐见增多，如张衡《西京赋》所述，即有扛鼎、寻橦、冲狭、燕濯、胸突、铦锋、跳丸、跳剑、走索、戏车、以及兽戏幻术等，而寻橦与诸种幻术，皆传自西域的。至六朝时当然又增加不少，如梁元帝《纂要》云：

百戏起于秦汉，有鱼龙、蔓延、高絙、凤凰、安息、五案、都卢寻橦、丸剑、戏车、山车、兴云、动雷、跟挂、腹旋、吞刀、履索、吐火、激水、转石、嗽雾、扛鼎、象人、怪兽、含利之戏。

其中凤凰、安息、五案即为前代所未有的，余则尽多相同，不过名称稍有变换而已。如鱼龙、蔓延、象人、怪兽、含利即为兽戏。兴云、动雷、吞刀、吐火、激水、转石、嗽雾即为幻术。高絙、履索即走索。跟挂、腹旋是寻橦中的两种技艺。又据《宋书·乐志》云：

晋成帝咸康七年，除高絙、紫鹿、跂行、鳖食、及齐王卷衣、笮儿等乐。

此中除高絙外，均为前代所未闻。《齐书·乐志》所谓“中朝所无，见起居注，并莫知所由也。”大约紫鹿、跂行、鳖食或亦为兽戏。齐王卷衣则不知齐王为谁，卷衣又属于何技了。笮儿《齐书》作笮鼠，不详所由，或亦为兽戏之一。

至于唐，大略亦如前代。宋则据《宋史·乐志》所载，又较增多，而将蹴球亦列为百戏之一，更可注意。《宋史·乐志》云：

百戏有蹴球、踏跷、藏擫、杂旋、狮子、弄枪、铃瓶、茶盌、毡龊、碎剑、踏索、上竿、筋斗、擎戴、拗腰、透剑门、打弹丸之类。

按蹴球即古蹴鞠，唐改为打球，此蹴球实即打球之戏，古未列为杂技的。藏擫则为幻术。踏跷或如现在踏高跷。杂旋《文献通考》以为“盖取杂器圆旋于竿标而不坠也”。弄枪“盖工裸带数环卷，一工立数十步外，连掷十余枪以度之，既毕，乃以一卷受其枪也”。铃瓶或即蹴瓶，“盖蹴其瓶，使上于铁锋杖端或水精丸，与瓶相植，回旋而不失也。”擎戴“盖两伎以首相抵戴而行也”。拗腰“盖翻折其身，手足皆至于地，以口衔器而复立也”。打弹丸“盖置丸于地，反张其弓，飞丸以射之也”。此皆为前代所未有的。惟毡龊不详。茶盌大约是弄以为戏，当如唐的弄椀珠伎。又宋耐得翁《都城纪胜》与吴自牧《梦粱录》所载百戏名目更多，分为相扑、踢弄、杂手艺三家。其中杂手艺一家名目尤繁，且有教虫蚁及鱼与弄熊，是兽戏以外，鱼虫之戏也可列为杂技了。以至于清代，如钱泳《履园丛话》所云：

杂戏之技，层出不穷，如立竿、吞剑、走索、壁上取火、席上反灯、弄刀舞盘、风车簸米、飞水顶烛、摘豆抽签、打球铅弹、钻梯、弄缸、弄甏、大变金钱、仙人吹笙之类，一时难以尽记。又有一老人，年八十余，能以大竹一竿，长四五丈，竖起，独立竹竿头上，更奇，不知操何术也。他如抽牌算命，蓄猴唱戏，弄鼠钻圈，虾蟆教学，蚂蚁斗阵等戏，则又以禽兽虫蚁而为衣食者也。

亦以禽兽虫蚁之戏，均属于杂技范围之内。所以由此看来，杂技实可分为下面的八种来说：

一、蹴鞠打球　最古为蹴鞠，后则变为打球或击球，尚有蹋球以及射柳等，均可属之。

二、角抵相扑　初为角抵，意义较广，后则专指角力，又称相扑或争交。

三、鱼龙蔓延　皆始于汉，视为吉祥的兽戏，但都是伪作，至唐以后，渐已失传。

四、上竿走索　亦始于汉，上竿传自都卢，走索未详，或亦自外方所传入。

五、杂手艺　名目最多，多为后代所增修，最早如飞丸跳剑，后则如踢弄缸甏之类。

六、幻术　亦始于汉，为西域所传入，所谓吞刀吐火屠人裁马之类是也。

七、禽兽鱼虫戏　最早约始于六朝，有马戏猴戏，后则禽鱼虫豸皆有戏了。

八、诸种斗戏　最初也是禽虫之戏，不过以斗为主，其后则视为博戏之流了。

其次则为弈棋，自古迄今，变化较少，名目亦稀，不如杂技的纷歧了。最古为“弈”，即“围棋”，至今犹复流传，可谓游艺之中源流最长的。汉时尚有“弹棋”，系就蹴鞠所改制，以弹为主。但至后汉一度中绝，至魏复兴，已稍变前制。传至于唐又复变异，至宋终于废绝，故至今已无知者。在汉魏六朝之间，他种棋戏尚多，如魏邯郸淳《艺经》所载，有“夹食”“悁闷”“簺子”；晋又有

“四维”,北魏又有“儒棋”,但倏起忽伏,后均无闻于世。此外北周武帝制“象戏”,后人以为象棋之祖,实则是象天法地之戏,与后世象棋绝异。此戏亦只在当时流行,后无所闻。至唐则有“象棋”,传为牛僧孺所制,虽与今制不同,实为象棋最早的创始。宋有司马光的“七国象戏”,晁补之的“广象戏”,以及北宋原有的象戏。此虽名为象戏,而实非周武象戏的遗制。到了南宋,象戏也就变为象棋,与今制全相同了。其创始虽较围棋为晚,而至今流行则殊较围棋为盛。其他虽尚有“三友棋”“蒙古棋”,以及今日为儿童游戏所制的“军棋”“兽棋”之类,要皆限于时地,未为一般人所熟知,不必详谈的了。所以弈棋一类,仅分为下面四种足矣:

一、围棋　最初称弈,汉始称为围棋。初为十七道,六朝时改为十九道,与今制同。

二、弹棋　创始于西汉,初用十二棋,魏用十六棋,唐增为二十四棋,后废。

三、象戏　为北周武帝所创制,亦用棋,为十二枚,象天法地，故名，后废。

四、象棋　为唐牛僧孺所创制。初制不详，北宋为路十一棋三十二，南宋时与今制同。

最后为博戏，其名目的繁杂又如杂技了，盖博戏亦如杂技，随时有变革的。最初有“博”与“塞”，其具亦用棋，可知与弈实相类，故孔子并称“博弈”，决不如现在的“博”，以赌钱为唯一目的，而无“戏”的意味了。而“博”字的由来，就因为最早的“博”而来的。至汉，“博”又称“六博”，“塞”又称“格五”。别有“樗蒲”，亦用棋。至六朝乃不用棋而只用投子，如刘毅一掷百万，全为赌钱而非游戏，所以陶侃有“牧猪奴戏”之讥。其投子为五枚，通称“五木”。当时北魏有“握槊”，系从西域所传入，人各六道，故后称“双陆”，至唐稍变其制，改称“长行”。然至宋以后，中州已泯泯无闻，只在边疆一带盛行了。

六博有大博小博之分，除棋以外，大博用箸，小博用琼，箸琼即投子，用以投掷。其后六博既废，投子也变为五木。至唐，又变五木为骰子，则与今制同。自有骰子，乃又有骰子诸戏，初为“彩选”，即后世“升官图”的嚆矢。宋时也有不用选图，而只掷点以定赏罚，如朱河的“除红”。降而至元有张光的“醉绿”。明时名目更多，由一枚以至六枚皆有戏法，如潘之恒《六博谱》所载。清则有“掷状元”“掷老羊”“掷挖窖”等，不胜枚举。

因骰子戏的盛行，宋徽宗时就有人将骰子改制为牙牌，以二色成一牌，三牌为一副，刚合骰子的六面。牌各有名，如天地人和，皆有用意。以创于宣和，通称“宣和牌”；又以牙制，称“牙牌”。至明用骨制，则称“骨牌”。初以三牌成副为戏，三牌变化甚多，故有《宣和谱》一类牌谱以便对照。至明则化繁就简，为“斗天九”之戏。分天地人和等牌为华队，九八七五等牌为夷队。清时则华夷改为文武，另以幺二二四为至尊，又三十二张增为一百〇五张，是为“碰和”，后又变为“同棋”。再增为一百二十六张，是为“花牌”。至原有的三十二张，则别有“牌九”之戏，至今最为盛行。

明时尚有一种纸牌戏，或称叶子戏，其中最盛行者为“马吊”，共四十张，分十万索钱四门。至清初渐加禁绝，乃变而为“默和”，凡六十张，分万索钱三门，而较马吊少一十字门。再变而为“碰和”，凡一百二十张，门数仍与默和同。三变而为“马将”，凡一百三十六张，外加花牌四张或八张，则为一百四十张或一百四十四张，门数亦仍为三门，而改称钱为筒，且由纸制改为骨制。此为现在最流行的博戏，几乎是家喻户晓、妇孺皆知的了。

此外博戏中也有不用博具而只用几个铜钱的，是为“摊钱”，汉时称为“掩”或“意钱”，南北朝时又称“射意”或“射数”，盖均是覆而任人猜射的。又有“压宝”“压扠”，也用钱以相射。还有“转骰”与“敲诗”，虽用骰子与诗句，其实还是以覆射为主的，正与摊钱之用意同。至于清末所流行的扑克与弹子，都是自西洋所传入，也是属于博戏之类的。

博戏的大略区别如此，所以可再分为下面十种：

一、博与塞　这是最古的博戏，戏法虽有不同，而局制颇相近似,古多并称的。

二、樗蒲五木　始于汉,初有棋有木,后废棋不用,专以木投掷,凡五枚,故又称五木。

三、握槊双陆与长行　始于北魏,由西域传入,后称双陆,至唐又改变为长行。

四、骰子彩选诸戏　始于唐,用于彩选,宋后有专戏的,如除红醉绿掷状元等。

五、宣和牌　始于宋宣和年间,系由骰子所改制。三牌成副,明改二牌为斗天九等。

六、同棋与花牌　由宣和牌改变而来,当始于清。同棋后废,花牌仍极盛行。

七、马吊牌　始于明的中叶,为纸牌戏之一,分十万索钱四门,至清初废绝。

八、默和碰和与马将　均始于清,由马吊牌转变而来,而少十字一门,马将今更盛行。

九、摊钱及其他　摊钱即汉时的掩。此外如压宝、压叔、转骰、敲诗皆可属之。

十、扑克与弹子　均为清末西洋传入的博戏，扑克颇似马吊，弹子颇似古之弹棋。

三　研究的困难

Difficulties in Research

中国游艺研究，向无其书，所以本书的编著，实为尝试之作。而研究之际，颇有两重困难，兹试胪陈于后：

一、资料的难于搜集　研究必须先搜集资料，自无用言。我国载籍如《二十五史》《十通》之类，均为研究我国学术文化的极好资料，研究者每多以为凭借参稽。无如游艺之中，除杂技一类尚可于上述诸书中求得一二外，余则概未有所详述，尤其是博戏一类，极少可得。盖此种载籍，类多记载庙堂制度，为施政者而设，其于我国文化的各方面，未暇顾及。如唐李翰《通典序》云：

夫五经群史之书，大不过本天地，设君臣，明十伦五教之义，陈政刑赏罚之柄，述礼乐制度之统，究治乱兴亡之由。立邦之道，尽于此矣。非此典者，谓之无益世教，则圣人不书，学者不览，惧人冗烦而无所从也。

五经群史如此，诸通又复如是，游艺本无关于“立邦之道”，自无记载的必要了。即如杂技一类，虽群史诸通中略有记载，然亦语焉不详，未能考其实况。其中且有不屑一道的，如《辽史·乐志》云：“杂戏哇俚不经，故不具述。”杂技犹属如此，博弈更无论矣。

至于其他载籍，浩如烟海，虽有类书为之分辑，然亦互相因袭，未必全备，且所采资料，亦极为缺乏，盖大部史籍既阙于记载，私人著作，更不过随兴所至，杂记一二。此种零简断篇，真如披沙淘金，往往十不得一。其间虽亦有专记游艺的著作，如魏邯郸淳的《艺经》，隋鲍宏的《博经塞经》等，然原书今皆散佚，仅存断篇而已。总之，此种资料的搜集，极感困难，因此欲详细研究中国的游艺，诚戛戛乎难哉！

二、考订的难于确定　游艺资料搜集既如此困难，故欲将此少数不完备的资料，一一加以考订，而求其原委，更为十分的困难。因为既称研究，至少对于它的起源及情况，详加说明，然事实上此种障碍甚多，如杂技中《晋书·乐志》有“笮儿”之戏，《宋书·乐志》同，《南齐书·乐志》则作“笮鼠”，《旧唐书·音乐志》又作“筷鼠”。此笮儿、笮鼠、筷鼠三者究为孰是，在未得旁证以前，实无法为之考订。且其戏究为何戏，诸志均未详载，也使我们无法为之说明。又如围棋据《博物志》所载，其创始有二说，一为尧造，一为舜作，则究为谁作，在未得更有力的确证时，即无法为之解决。又是否真为尧造或舜作，亦一问题。而《博物志》作者旧说为晋张华，他究凭何书而作此说，我人亦不得而知，若出于传闻，即未必可信的。此外如乌曹作博，虽出汉刘向《世本》，然向究凭何籍，亦非我人所知。所以像这种地方，均无法加以确证，即使明知其伪托，亦只得因袭其说而已。

以上所说，好像只着重于史的方面，而对于现在所流行的，未曾说到。此点著者以为研究一切学术文化，不能不先研究它的史略；何况我国游艺，皆渊源有自，绝少是新生的，即新生，也是自前代转变而来，如果只述现今，而不顾及过去，则无异有尾无首，不能算作研究的了。现在一般什么指南大观之类，就是只顾到现今，而不求往昔，无非避难就易，只能使人知其然，而不能使人知其所以然。设属如此，则本书无异一般指南大观之类，实不用再多此一举的。本来一切游艺，随时变化，不胜尽述，然如本书所及，已可见其系统，略知一斑，举一反三，是在读者，固不必一一均详述无遗；尤其是现在一部分，更无用我们多费时间去研究的。

第二章 杂技

Variety Shows

一 蹴鞠打球

Ancient Chinese Football

蹴鞠就是后来的打球或击球，是中国最早的游艺之一。初本为练习武艺，后则用于嬉戏，如汉刘向《别录》云：

蹴鞠者，传言黄帝所作，或曰起战国之时。蹋鞠兵势也，所以练武士知有材也，皆因嬉戏而讲练之。

所谓“黄帝所作”，只是“传言”而已，恐怕传言永远是传言的，倒是“起战国之时”较为可信。这一种鞠与后世的球微异，如唐颜师古注《汉书·霍去病传》云：“鞠以皮为之，实以毛，蹴蹋而戏也。”与后世之用气者不同。汉时此戏颇为盛行，诸帝多爱好的，如晋徐广《弹棋经序》称“汉武帝平西域，得胡人善蹴鞠者，帝好而为之，群臣不能谏。”《西京杂记》称“成帝好蹴鞠。”又如晋陆机《鞠歌行序》云“汉宫阁有含章鞠室，灵芝鞠室。后汉马防第宅卜临道，连阁通池，鞠城弥于街路。”《汉书·霍去病传》云“去病尚穿域蹋鞠也。”均可见当时不但宫中有鞠室，连贵族私人第宅中也有的。

到了唐代，于是始改蹴鞠为打球，其制亦略有改变，如唐封演《封氏闻见记》云：

打球，古之蹵踘也。……近俗声说蹋踘为球，字亦从而变焉，非古也。太宗常御安福门，谓侍臣曰：『闻西蕃大好为打球，比令亦习，曾一度观之。昨升仙楼有群胡街里打球，欲令朕见此胡。疑朕爱此，骋为之。以此思量，帝王举动，岂宜容易！朕已焚此球以自戒。』景云中，吐蕃遣使迎金城公主，中宗于梨园亭子赐观打球。吐蕃赞咄奏言：『臣部曲有善球者，请与汉敌。』上令仗内试之，决数都，吐蕃皆胜。时玄宗为临淄王，中宗又令与嗣虢王邕、驸马杨慎交、武延秀等四人，敌吐蕃十人。玄宗东西驱突，风回电激，所向无前，吐蕃功不获施。其都满赞咄尤此仆射也。中宗甚悦，赐强明绢数百段。学士沈佺期、武平一等皆献诗。开元、天宝中，玄宗数御接，观打球为事。能者左萦右拂，盘旋宛转，殊可观；然马或奔逸，时致伤毙。永泰中，苏门山人刘钢，于邺下上书于刑部尚书薛公云：『打球一则损人，二则损马，为乐之方甚众，何必乘兹至危，以邀晷刻之欢耶？』薛公悦其言，书钢之言，置于座右，命掌记陆长源为《赞美》，美之。然打球乃军州常戏，虽不能废，时复为耳。今乐人又有蹑球之事戏彩画木球高一二丈，妓女登榻，球转而行，萦回去来，无不如意，古蹋球之遗事也。

此言唐的打球情形甚详，是骑马而打，人数似无一定，故中宗令四人以敌吐蕃十人。另有蹋球，则不打而蹑，球用木制，且高至一二丈，似较常球为特大，封氏以为亦“古蹴鞠之遗事”，大约同属于球的缘故罢！若言其戏法，实大不相同的。又打球亦称击球，如《资治通鉴》云：

唐僖宗好蹴鞠斗鸡，尤善击球，尝谓优人石野猪曰：『朕若应击球进士举，须为状元。』对曰：『若进尧、舜作礼部侍郎，恐陛下不免驳放。』上笑而已。

此击球必为打球无疑。同书又云：

广明元年三月，田令孜奏以陈敬瑄、杨师立、牛勖、罗元杲镇三川，上令四人击球赌之，敬瑄得第一筹，即以为西川节度使。

广明即僖宗年号，竟以击球得胜为任官标准，亦可见僖宗爱好之甚了。又据《旧唐书·郭英义传》所说，居然有"聚女人骑驴击球，制钿驴鞍及诸服用，皆侈靡装饰，日费数万以为笑乐"。又宋钱易《南部新书》，竟说"胡湖为辩州刺史，好击球。南方马庳小不善驰，因命夷民十余辈肩舁，据轝撝杖”。更可谓想入非非了。又当时的球已与古制不同，如宋刘攽《贡父诗话》引归氏子弟嘲皮日休云：“八片尖皮砌作球，火中燀了水中揉。一包闲气如常在，惹踢招拳卒未休。”倒与今制的球完全相同了。

至于宋，打球已成为重要礼仪之一，由太宗令有司详定仪式，于三月举行，帝且亲自出击，仪式甚为隆重，详载《宋史·礼志》中。另据宋孟元老《东京梦华录》云，有小打大打之分：

先设彩结小球门于殿前，有花装男子百余人，皆裹角子向后拳曲花幞头，半着红，半着青锦袄子，义襕束带丝鞋，各跨雕鞍花鞻驴子，分为两队，各有朋头一名，各执彩画球杖，谓之『小打』。一朋头用杖击弄球子，如缀球子方坠地，两朋争占供与朋头。左朋击球子过门入孟为胜，右朋向前争占不令入孟，互相追逐，得筹谢恩而退。续有黄院子引出宫监百余，亦如小打者，但加之珠翠装饰，玉带红靴，各跨小马，谓之『大打』。

此小打竟用男子百数人，可谓盛极。而打时有门有孟，孟当是网，如《文献通考》所谓“蹴球戏，植两修竹高数丈，络网于上，为门以度球”是也。此种球戏，骑马执仗，则实如今日西人所谓杖球，恐怕同出一源的。至北方的辽金以及元代，皆盛行此戏，且另有射柳射兔，亦分朋射击，均为讲练武艺而嬉戏的事。射柳据《金史·礼志》云：

射柳击球之戏，亦辽俗也，金因尚之。凡重五日拜天礼毕，插柳球场为两行，当射者以尊卑序，各以帕识其枝，去地约数寸，削其皮而白之。先以一人驰马前导，后驰马以无羽横镞箭射之。既断柳又以手接而驰去者为上，断而不能接去者次之，或断其青处，及中而不能断，与不能中者为负。每射，必伐鼓以助其气。

下为击球，亦与宋制同，乘马持杖，并云“杖长数尺，其端如偃月”。更与今之杖球之杖相似。亦分为两队争击一球。其球门则于“球场南立双桓置板，下开一孔为门，而加网为囊，能夺得鞠击入网囊者为胜。或曰两端对立二门，互相排击，各以出门为胜”。是有单门双门二种，网囊即《东京梦华录》所谓“孟”也。“球状小如拳，以轻韧木枵其中而朱之”则与唐宋略异。然此二戏，并非专在重五举行，平时也有举行之的，不过重五为更重要罢了。至于射兔，据《契丹国志》云：

三月三日，国人以木雕为兔，分两朋走马射之，先中者胜，其负朋下马跪奉胜朋人酒，胜朋于马上接杯饮之。北呼此节为『淘里化』，汉人译云『淘里』是『兔』，『化』是『射』。

此二种皆为射戏，以其与打球用意略同，故附载于此。至清射的名目尤多，如清震钧《天咫偶闻》云：

> 国家创业，以弧矢威天下，故八旗以骑射为本务，而士夫家居亦以射为娱。家有射圃，良朋三五，约期为会。其射之法不一：曰『射鹄子』，高悬栖皮，送以响箭，鹄之层亦不一名，最小者名羊眼。昔果益亭将军专工射鹄，有『果羊眼』之称，然工者仍不事此。或一箭诸圈皆开而不落如花篮式，此为至难。曰『射月子』，满语名艾杭，即画布为正也。曰『射绸』，悬方寸之绸于空而射之，此则较难。又有于暮夜悬香火于空而射之，则更难；然皆巧也，非力也。……定制，赌有禁，惟以射赌者无禁，故有大书于门曰『步靶候教』者赌箭场也，然往者寥寥。

此以射戏而变为射赌。现今有用气枪而打物者，亦博的一类，可谓渊源有自了。

此外清代有一种冰嬉，其中亦有戏球，似为前所未闻，兹亦附载于此。《宫闱岁时记》云：

冰嬉之制，所以习武行赏，俗谓『跑冰鞋』，即金鳌《退食记》所载西苑冰上掷球之戏，而实不止掷球一事。岁十二月，西苑三海层冰坚劲，于是择令辰，圣驾御冰床临观焉。冰鞋以一铁直条嵌鞋底中，作势一奔，迅如飞羽。始曰『抢等』。去上御之冰床二三里外树大纛，众兵咸列。驾既御冰床，鸣一炮，树纛处亦鸣一炮应之，于是众兵驰而至。御前侍卫立冰上，抢等者驰近御座，则牵而止之，至有先后，分头等二等，赏各有差。继曰『抢球』。兵分左右队，左衣红，右即衣黄，既成列，御前侍卫以一皮球猛踢之，至中队，众兵争抢，得球者复掷，则复抢焉，有此已得球而彼复夺之者，或坠冰上复跃起数丈又遥接之。又继以『转龙射球』，走队时按八旗之色，以一人执小旗前导，二人执弓矢随于后。凡执旗者一二百人，执弓矢者倍之，盘旋曲折行冰上，远望之蜿蜒如龙。将近御座处设旌门，上悬一球曰天球，下悬一球曰地球。转龙之队疾趋至，一射天球，一射地球，中者赏。复折而出，由原路盘曲而归其队。其最后执旗者一幼童，若以为龙尾也。旧制八旗兵皆演冰鞋，分日阅看，按等行赏。道光初，惟命内务府三旗预备。后则三旗亦停止，仅给半赏之半而已。

二　角抵相扑

Wrestling

角抵亦作觳抵、角觝，即后世所谓相扑、争交或摔跤，原亦为我国古时的武术，后乃以为戏乐，如《史记·李斯列传》云：

是时二世在甘泉，方作觳抵优俳之观。（索隐）应劭曰：『战国之时，稍增讲武之礼，以为戏乐，用相夸示，而秦更名曰角抵。角者角材也，抵者相抵触也。』文颖曰：『案，秦名此乐为角抵，两两相当，角力、角伎、艺、射、御，故曰角抵也。』驷案：觳抵即角抵也。

可知战国时本为讲武之礼。所谓角抵者，除角力以外，尚有角伎、艺、射、御，即犹今之各种技艺比赛，故汉时即以为杂戏的总称，如《汉书·武帝纪》云：

元封三年春，作角抵戏。（注）应劭曰『角者，角技也，抵者，相抵触也。』文颖曰：『名此乐为角抵者，两两相当，角力、角技、艺、射、御，故名角抵，盖杂技乐也，巴俞戏、鱼龙、蔓延之属也。』师古曰：『抵者，当也，非谓抵触，文说是也。』

是汉时所谓角抵，已把巴俞戏及鱼龙蔓延等也包括在内，不专指为角力的事了。但后世因称此种杂戏又为百戏，于是角抵也就变为专称角力的戏了，而或称为相扑，如宋耐得翁《都城纪胜》云："相扑争交，谓之角觗之戏。"又宋吴自牧《梦粱录》，则述宋时相扑之制更详。《梦粱录》云：

角者，相扑之异名也，又谓之争交。且朝廷大朝会、圣节、御宴第九盏，例用左右军相扑，非市井之徒，名曰『内等子』。……元于殿步诸军选膂力者充应名额，即虎贲郎将耳。……设额一百二十名。……三年一次。……前辈朝官曾赴御宴，有诗咏曰：『虎贲三百总威狞，急飐旗催叠鼓声。疑是啸风吟雨处，怒龙彪虎角亏盈。』盖为渠发也。瓦市相扑者，乃路岐人聚集一等伴侣，以图手之资。先以女数对打套子，令人观睹，然后以膂力者争交。若论护国寺南高峰露台争交，须择诸道州郡膂力高强、天下无对者，方可夺其赏。……顷于景定年间，贾秋壑秉政时，曾有温州子韩福者，胜得头赏，曾补军佐之职。杭城有周急快、董急快、王急快、赛关索、赤毛朱超、周忙憧、郑伯大、铁稍工韩通住、杨长脚等，及女占赛关索、嚣三娘、黑四姐女众，俱瓦市诸郡争胜，以为雄伟耳。

可知宋时不但有官相扑，而且有瓦市相扑，男手以外，尚有女手。又据宋周密《武林旧事》所载诸色伎艺人，除角抵外，又有乔相扑、元鱼头等九人，当亦是相扑的一种，或者如今江湖卖艺者假作两个人形，以一人俯伏相戏，其状亦如相扑，故称为乔罢！到了现在，此种技艺仍复流行，尤其在蒙古为更盛，如《内蒙古风俗志》云：

蒙人嗜好摔角，颇有古罗马人之风焉。每于鄂博祭日，为正式举行期。角者着短衣，或袒身登场而斗，以推倒对手为胜。王公或本村绅士，授胜者果品布类，以资奖励。此风盛行于大漠南带及山岭地方，边城附近罕见之。

其称为"有古罗马人之风"，实为我国原有之风耳，因我国之有此戏，已有二千余年的历史了，不在古罗马之后的。

三 鱼龙蔓延

Dragon and Beast Show

鱼龙蔓延为古重要的杂技之戏，今亦有称游艺会为鱼龙会的。据《汉书·西域传》云：

孝武之世，作巴俞都卢、海中砀极、漫衍鱼龙、角抵之戏。（注）师古曰：『鱼龙者，为舍利之兽，先戏于庭极，毕乃入殿前激水，化成比目鱼，跳跃漱水，作雾障日，毕，化成黄龙八丈，出水敖戏于庭，炫耀日光。《西京赋》云『海鳞变而成龙』，即为此色也。

是鱼龙之戏，乃鱼化为龙之意。此鱼龙当系伪作，戏之以取吉祥。按《后汉书・礼仪志》引蔡质《汉官典职》，有云“正月旦，天子幸德阳殿，舍利从西方来，戏于庭极毕”，下同颜师古注文。是知颜氏所注，引自蔡书，惟一云含利，一云舍利，不知孰是？按《西京赋》有“含利颬颬”，据薛综注云：“含利兽名，性吐金，故曰含利。”或为含利而非舍利。至于蔓延，即《西域传》中所谓漫衍。据颜师古云：“漫衍者，即张衡《西京赋》所云巨兽百寻，是为曼延者也。”是曼(蔓)延亦为兽戏。《西京赋》原文云：

巨兽百寻，是为曼延。神山崔巍，欻从背见。(薛综注)作大兽长八十丈，所谓蛇龙曼延也。欻言忽也，伪所作也。兽从东来，当观楼前，背上忽然出神山崔巍也。

是蔓延实与鱼龙相似的杂戏，一从东方来，一从西方来，一至楼前忽然出现神山，一至殿前化为黄龙。而蔓延亦为一种兽名，以其长至八十丈，无以名之，故名之为蔓延罢！

鱼龙蔓延二戏，虽后汉安帝时一度罢除（《后汉书·安帝纪》"十二月乙酉罢鱼龙蔓延百戏"），但六朝仍复盛行，不过其时又称为"黄龙变"，如《隋书·音乐志》所云，实与鱼龙是无异的。又如《南齐书·乐志》云："凤皇衔书伎歌辞，盖鱼龙之流也。元会日，侍中于殿前跪取其书。"其书乃预先写就，纯为祝国运之辞，下先引宋辞，可知宋时已有了的，亦与鱼龙同取吉祥之意罢。至于今，新正时各地有滚龙灯及舞狮子之戏，我颇疑也是从鱼龙蔓延演变而来的，虽龙狮已不能变化，但均为伪作则同，均戏于人家的庭间亦同。又据《西京赋》所载，当时其他兽戏尚多，如"总会仙倡，戏豹舞罴。白虎鼓瑟，苍龙吹篪。""熊虎升而拏攫，猨狖超而高援。怪兽陆梁，大雀踆踆。白象行孕，垂鼻辚囷。""蟾蜍与龟，水人弄蛇。奇幻倏忽，易貌分形。”是又有豹罴、熊虎、猨狖、大雀、白象、蟾蜍、龟蛇等等，据薛综注“皆伪作也”。这在现今各地赛会的时候，也常常有这种伪作兽戏的，只是已没有“奇幻倏忽，易貌分形”的了。又现在戏班中有所谓“形儿”的，即以人扮剧中的禽兽，所在多有。均可知此种杂技，到现在还很流行的。

四 上竿与走索

Diabolo-playing and Rope-walking

上竿与走索亦为汉时重要的杂技。上竿即《汉书·西域传赞》所谓“都卢”，据注引晋灼曰：“都卢，国名也。”又李奇曰：“都卢体轻善缘也。”是此戏传自都卢，故名。都卢不知在何地，大约总在西域一带罢！其戏后世又称“寻橦”，又称“长竿”，但均缘竿上而作戏，故今称为“上竿”，在马戏班中常可看到的。汉张衡《西京赋》云：

尔乃建戏车，树修旃。伥童程材，上下翩翻。突倒投而跟絓，譬陨绝而复联。百马同辔，骋足并驰。橦末之技，态不可弥。弯弓射乎西羌，又顾发乎鲜卑。（薛综注）旃谓幢也，建之于戏车上也。伥之言善，善童幼子也。程，犹见也，材，伎能也，翩翻，戏橦形也。突然倒投，身如将坠，足跟反絓橦上，若已绝而复连也。百马同辔，骋足并驰，于橦上作其形状者。弥，犹极也，言变巧之多，不可极也。弯，挽弓也。鲜卑在羌之东，皆于橦上作之。

此为叙上竿之最早见于载籍者，可知汉时作此戏，下有戏车，上竖长竿。（按：幢与橦同。《玉篇》云："橦竿也，或作幢。"大约橦上别有旗帜，故赋作旃罢！）幼童缘竿而上，作种种伎能，如翩翻倒投之类。

此种伎戏，历代盛行不绝，大约初多为外人所演，后则国人亦有能之者，如《隋书·沈光传》云：

光少骁捷，善戏马，为天下之最。……初建禅定寺，其中幡竿高十余丈，适遇绳绝，非人力所及，诸僧患之。光见而谓僧曰：『可持绳来，当相为上耳。』诸僧惊喜，因取而与之。光以口衔索，拍竿而上，直至龙头，系绳毕，手足皆放，透空而下，以掌拒地，倒行数十步。观者骇悦，莫不嗟异，时人号为『肉飞仙』。

这虽未述光演上竿之戏，然能“拍竿而上”“透空而下”，可知他也善于此戏，只是传中未述及耳。至唐时又有女子演此者，如唐郑处诲《明皇杂录》云：

玄宗御勤政楼，大张乐，罗列百伎。时教坊有王大娘者，喜戴百尺竿，竿上施木山，状瀛洲方丈，令小儿持绛节出入于其间，歌舞不辍。

又唐苏鹗《杜阳杂编》云：

上（敬宗）降日，大张音乐，集天下百戏于殿前。时有妓女石火胡，本幽州人也，挈养女五人，才八九岁，于百尺竿上张弓弦五条，令五女各居一条之上，衣五色衣，执戟持戈舞《破阵乐》曲。俯仰来去，赴节如飞。是时观者目眩心怯。火胡立于十重朱画床子上，令诸女迭踏以至半空，手中皆执五彩小帜。床子大者始一尺余。俄而手足齐举，为之『踏浑脱』，歌呼抑扬，若履平地。上赐物甚厚。文宗即位，恶其太险伤神，遂不复作。

此所述王大娘石火胡者，皆女流之辈，而竿上又施以木山及床子之类，且歌且舞，如履平地，比之前述倒投之类，是又惊险万分了。

至宋时，如《宋史·乐志》及孟元老《东京梦华录》、吴自牧《梦粱录》等书所载均有“上竿”之目，惟未述其戏法如何，仅叶梦得《避暑录话》中曾载有一则云：

仁庙初即位，秋宴，百戏有缘橦竿者，忽坠地，碎其首死。上恻然怜之，命以金帛厚赐其家，且诏自是橦竿减去三之一。晏元献作诗纪之曰：『君王特轸摧沟念，诏截危竿横赐饯。』余往在从班侍燕时，见百戏橦竿才二丈余，与外间绝不同，一老中贵人为余言，后阅元献诗果见之。

大约此种伎戏，殆皆陈陈相因，虽有变化，无非取其惊险而已。至如清彭士望《九牛坝观觝戏记》所云：

初则累重案，一妇仰卧其上，竖双足承八岁儿，反覆卧起，或鹄立合掌拜跪，又或两肩接足，儿之足亦仰竖，伸缩自如。间又一足承儿，儿拳曲如莲出水状。其下则二男子、一妇、一女童与一老妇，鸣金鼓，俚歌杂佛曲和之，良久乃下。又一妇登场如前卧，竖承一案，旋转周四角，更反侧背面承之。儿复立案上，拜起如前仪。儿下，则又承一木槌，槌长尺有半，径半之，两足圆转，或竖抛之而复承之。妇既罢，一男子登焉，足仍竖，承一梯可五级，儿上至绝顶，复倒竖穿级而下。

这虽非上竿，实与上竿为一类。至今各地犹常可见到，故亦并附于此。

至于走索，亦称为高絙、踏索、履索、走绳等等，近又有走钢丝，是不过将绳索易为钢丝而已，技术尽同。最早亦始于汉，如汉蔡质《汉官典职》述鱼龙之后，即接着云：

以两大丝绳，系两柱头中间，相去数丈，两倡女对舞，行于绳上，对面道逢，切肩不倾。

又《西京赋》亦云：

走索上而相逢。（薛综注）索上，长绳系两头于梁，举其中央，两人各从一头上，交相度，所谓舞絙者也。

是汉时用两人对走，使切肩而不相倾。晋以后则称为高絙，时除时复。唐称戏绳或走索，张楚金《观绳伎赋》，所谓“横亙百尺，高悬数丈”。“窈窕相遇，蹁跹却步。寄两木以更摄，有双童而并骛”。是与汉时所戏仍相同的。宋时或称“上索”，或称“踏索”。《梦粱录》中又有所谓“脱索”，索上担水，索上走的，当同属一类，不过动作稍有歧异而已。至于清代，也有一人走的，如彭士望《九牛坝观觝戏记》所云：

其人更移场他处，择草浅平坡地，去瓦石，乃接木为桥，距地约八尺许。一男子履其上，傅粉墨，挥扇杂歌笑，阔步坦坦，时或跳跃。后更舞大刀，回翔中节。此戏吾乡暨江左时有之，更有高丈余者，但步不能舞。最后设软索，高丈许，长倍之，女童履焉。手持一竹竿，两头载石如持衡，行至索尽处，辄倒步或仰卧，或一足立，或偃行，或负竿行如担，或时坠挂复跃起。下鼓歌和之，说白俱有名目，为时最久，可十许刻。女下，妇索帕蒙双目为瞽者，番跃而登，作盲状，东西探步，时跌若坠，复摇幌似战惧。久之乃已，仍持竿，石加重，盖其衡也。

以上所说上竿、走索，至今各地尽多有人戏演，可知渊源很古，盖已有二千余年的历史了。此二戏往往同时戏演者为多，皆以惊险取胜，与下节所述的杂手艺，即今日所统称为“杂耍”或“玩把戏”的。

五 杂手艺

Acrobatics

杂手艺始见于宋耐得翁《都城纪胜》及吴自牧《梦粱录》所载，为合各种手艺而统名之。盖此种名目甚多，无以名之，故统称为杂手艺。据《梦粱录》所载，有下列数种：

杂手艺即伎艺也，如踢瓶、弄碗、踢磬、踢缸、踢钟、弄花钱、花鼓槌、踢笔墨、壁上睡、虚空挂香炉、弄花球儿、拶筑球、弄斗、打硬、教虫蚁、弄熊、藏人、烧烟火、藏剑、吃针、射弩端、亲背、攒壶瓶、绵包儿、撮米酒、撒放生等艺。

《都城纪胜》又有药法傀儡、手影戏等类，则事关戏剧，似不能称为手艺，不如《梦粱录》所载为纯。惟此中名目，有许多是难以说明的。兹据前人载籍所及，分述如后。

按汉张衡《西京赋》有“冲狭燕濯，胸突铦锋。跳丸剑之挥霍，走索上而相逢”。走索已如上述者外，所谓冲狭诸语，据薛综注云：

卷簟席以矛插其中，伎儿以身投从中过。燕濯，以盘水置前坐，其后踊身张手跳前，以足偶节，逾水复却坐，如燕之浴也。挥霍，谓丸剑之形也。

是冲狭、燕濯、丸剑乃三种戏名，为上两书所未载的。按《文献通考》有透剑门戏，“攒剑为门，伎者裸体掷度，往复不伤，亦冲狭之变欤?” 至今此种伎戏，亦时可见，可知犹未绝响。燕濯则后世似无所闻。丸剑据《庄子·徐无鬼》有“市南宜僚弄丸而两家之难解”。郭象注云：

市南宜僚善弄丸铃，掷八个在空中，一个在手。楚与宋战，宜僚披胸受刃，于军前弄丸铃，一军停战，遂胜之。

又《列子·说符》云：

宋有兰子者，以技于宋元，宋元召而使见。其技以双枝长倍其身，属其胫，并趋并驰，弄七剑迭而跃之，五剑常在空中。元君大惊，立赐金帛。

此二则所云，一为弄丸，一为弄剑，皆掷于空中，交互取掷，似即赋所谓“跳丸剑之挥霍”，亦即汉李尤《平乐观赋》中所谓“飞丸跳剑”罢！此种后世亦非绝对没有，而《梦粱录》中的种种踢弄，其实都可属于此类。弄则或为手弄，或为足弄，踢则专限于足而已，其艺更较手弄为难。兹据前人笔记所载，引录数则于后。清诸联《明斋小识》云：

有绳妓来吾乡，兼善弄甏。面若铁，足巨如箩，观者肸肸然笑之。妇曰：『诸公且弗笑，凡绳戏人皆以色，咱独以艺。诸公若爱色，则勾栏院中岂少佳丽，何必绳？兹所乏者容耳，以身事人固不能，但艺不在人下，今且先试余技，视彼涂脂抹粉者何如？』遂仰卧于地，伸足弄甏，旋转如丸。少焉左足掷甏，高约二丈，将坠，以右足接之，右足掷，左足接之。更置一甏，两足运两甏，往来替换，若梭之投，若球之滚，若鸟之飞翔，忽欹忽侧，而不离于足。又以足承梯，使小儿缘之上，逐层觔斗，屹不竵动，寓目者诧为奇。究缘貌故，不能得厚赀，住两日便去。

此为弄甏，与古之弄丸剑者固无异，而不用手用足，则与《梦粱录》所谓踢瓶踢缸正同。又徐珂《清稗类钞》云：

光绪庚子春正月，京师杂耍馆有王某献技，运酒坛如气球，其名为坛子王。家居麻线胡同，身伟露顶，衣短衣。以一大绍兴酒坛厚寸许者置台上，刮磨光润，画以金龙五色云。以铁器扣其四周，声琅琅然，盖恐人疑其非陶器也。手提而弄之，中铮铮作响，盖置铜铁等丝于内也。始则两手互掷互承，如辘轳转于两臂两肩及背；继则或作骑马势，而掷坛出跨上，摩背跃过顶，承以额，砉然有声。人咸虑其脑裂，而彼恬然也。坛立于额，不以手扶，屡点其首，则坛盘旋转于额，或正立，或倒立，或竖转，或横转。坛中铜铁丝声，与坛额相击撞，铮铮砉砉，应弦合节。俄以首努力一点，则坛上击屋梁，听其下坠于地，地为震动，而坛不少损，则又取弄如前。复上出，仍承之以额，而或承坛口之边，或承坛底之边，如刀下斫其首，而不知痛。手叉腰，坛欹附于额，绕场行数十周，且揖且跽，且稽首且起立，且下卧且辗转反侧，而坛如有所系，虽作摇摇欲坠状，而仍不坠也。复努之上及屋，或承以一指，或衔以口，如是者数四往复，则坐而少休，气不喘色不变也。乃复运之以一臂，绕臂转如风轮，见坛不见臂也。继复运以两臂，左右齐转，则如有两坛分绕两臂者，而不击撞，亦仍一坛也。次运以指亦如之。次则且运且劈之，闻空中作裂瓦破甑声，视坛忽若左右分作两半者，忽若上下分作两截者，忽张手揸坛腹而擎之若坛有柄者，忽握坛口而起若坛有胶者，诚不可测也。又径以坛置于顶，而袖其两手，如束缚始以头努坛起，承以肩，左右努之，则左右跳掷。次承以腰以尻，左右努之，则左右跳掷。次承以膝，亦如之。次承以足背，左右踢之。次承以大指，亦左右踢之，复上出之，而次第下之。继乃上下飞腾，四面盘辟，不辨其是肩是背是腰是尻是膝是足，第见满身皆坛，满台皆坛。始则犹见一人袖手转侧于坛阵中，继则观者满眼皆坛，不复见人，观者靡不咄咄称奇。方迷乱间，其人忽欻然仆地仰卧，坛自屋梁下，击其鼻，群大惊，而坛且兀立鼻尖，复努立而起，忽倒竖以两足捧坛直立，以两手履地，绕场而行，两足复分，顶其左右坛，承掷如手弄。良久，忽作虎跳，横转如车轮，而坛随之。忽翻觔斗，起落如蚱蜢跃，而坛亦随之。复两足踢坛上击屋空中，坛与人俱如败叶转，坛忽着地，而兀立其上，向众揖云：『坛子王献丑。』

此其所述，诚属神乎其技，盖混身皆能戏，变化百出，可谓集踢弄的大成了。又清蒋士铨《京师乐府词》中有《弄盆子》一篇，也是杂手艺之一，写得极为生动。原词云：

先掷一盆当空起，再持一竿拄盆底。竿头盆转如旋床，持竿之人目上视。竿竿衔尾次第续，忽直忽弯随所使。露盘端正向天承，莲叶偏翻任风倚。竿人举趾飘惊鸿，疾行缓步仍从容。乃知持竿若把笔，收撒顿挫皆中锋。有时作势令盆滚，竿欲离盆盆自稳。暗里抽竿盆不知，仍剩一竿相播引。以竿植地足挽之，双手合掌不持。回眸视盆尚旋转，宛若天龙献钵随禅师。须臾竿绕肩左右，优昙乱开珠四走。旁人惊恐彼失笑，盆乃完全竿脱手。吁嗟乎！尔作游民身手利，何不从师舞剑器？不见飞仙肉身名沈光，军中共拜王铁枪。

又如清魏元旷《都门琐记》所云：

杂耍有以一木贯两巨石，一人仰卧，竖两足擎之，木两端近石，各二人踏肩立，中复一人，亦以木贯两巨石，举而转之，久乃下，两足所擎近千觔。又有以极大猫头竹一竿，用五色绸扎径丈之蝴蝶，置于竹端。一人举而向上掷之，叉两手于腰际。仰承以面，竹矗立额上，端正不动。再掷承之以鼻，再承以齿及承以腹，则身如桥衡。其掷皆以首，徐于腹上举而下之。或架以径丈木龙，刻其鬣如利刃，人上下凭虚旋绕，稍着鬣则胸腹皆穿。

这也是踢弄的一类，不用甏盆而用竿，其伎实亦难能而可贵的。至于《梦粱录》中所谓壁上睡，挂香炉，藏剑吃针，撮米酒，撮放生等等，实应属于幻术一类，兹不赘述。

六 幻术

Sorcery

幻术即今所谓魔术，或云变戏法、撮戏法。其初实传自西域，如《旧唐书·音乐志》所云：

> 大抵散乐杂戏多幻术，幻术皆出西域，天竺尤甚。汉武帝通西域，始以善幻人至中国。安帝时，天竺献伎能自断手足，刳剔肠胃。自是历代有之。我高宗恶其惊俗，勅西域关令不令入中国。

然其实并未禁绝，在民间还是很盛行的；而且演此者不仅为外人，国人也渐习其风而能戏演的了。按《史记·大宛列传》云：

汉使至安息，安息王令将二万骑迎于东界。东界去王都数千里。行比至，过数十城，人民相属甚多。汉使还，而后发使，随汉使来观汉广大，以大鸟卵及黎轩善眩人献于汉。（索隐）韦昭云：『眩人，变化惑人也。』《魏略》云：『犁靳多奇幻，口中吹火，自缚自解。』小颜亦以为今之吞刀吐火、植瓜种树、屠人截马之术皆是也。

又《汉书·张骞传》云：

> 大宛诸国发使，随汉使来观汉广大，以大鸟卵及犛靬眩人献于汉。（注）应劭曰：『卵大如一二石甕也。眩相诈惑也。邓太后时，西夷檀国来朝贺，诏令为之。而谏大夫陈禅以为夷狄伪道，不可施行。后数日，尚书陈忠案汉旧书，乃知世宗时犛靬献见幻人，天子大悦，与俱巡狩，乃知古有此事。』师古曰：『鸟卵如汲水之甕耳，无一二石也，应说失之。眩读与幻同，即今吞刀吐火、植瓜种树、屠人截马之术皆是也，本从西域来。』

观此二文，可知幻术实从西域传来，而此西域为黎轩，或作“犛靬”，据师古注“即大秦国也”，是为古之罗马。又据日人松井等《世界文化史大系图》所载，则犛靬实即今之埃及亚历山大利亚港，时属罗马。随汉使当指张骞，骞还朝在元朔三年（前126），是此种幻术，即传自那时的。但另据《西京杂记》及晋王嘉《拾遗记》所载，则周时已有此种幻术了，如《西京杂记》云：

余少所知有鞠道龙善为幻术，向余说古时事。有东海人黄公，少时为术，能制龙御虎，佩赤金刀，以绛缯束发，立兴重雾，坐成山河。及衰老，气力羸惫，饮食过度，不能行其术。秦末，有白虎见于东海，黄公乃以赤刀往厌之，术既不行，遂为虎所杀。三辅人俗用以为戏，汉帝亦取以为角抵之戏焉。

又如《拾遗记》云：

周成王七年，南陲之南有扶娄之国，其人善能机巧变化，易行改服，大则兴云起雾，小则入于纤毫之中。缀金玉、毛羽为衣裳，吐云喷火，鼓腹则如雷霆之声，或化为犀、象、狮子、龙、蛇、火鸟之状，或变为虎、兕，或口吐人于掌中，备百戏之乐，宛转屈曲于指间。见人形或长数分，或复数寸，神怪歘忽，衒丽于时。

但两书均为小说家言，恐出诸传闻，未必可信。惟王说云传自扶娄，则此术非我国所固有，是可信无疑的。至此种大秦人所献究为何种幻术，可观《后汉书·西南夷传》所载：

安帝永宁元年，掸国王雍由调复遣使者诣阙朝贺，献乐及幻人，能变化吐火，自支解，易牛马头。又善跳丸，数乃至千。自言我海西人，海西即大秦也，掸国西南通大秦。

按掸国据近人丁谦考证，谓是“种人之名，今云南广西迤南皆有其人”。又谓“大秦来中国，盖由地中海至埃及登陆行，直望红海过印度洋，至缅甸南境，再陆行北入掸人地”云。

至于晋，仍多此种吐火支解之术，其人亦从西方而来，如干宝《搜神记》云：

晋永嘉中，有天竺胡人来渡江南，其人有数术，能断舌续断，吐火，所在人士聚观。将断时先以舌吐示宾客，然后刀截，血流覆地，乃取置器中，传以示人，视之，舌头半舌犹在。既而还取含续之，坐有顷，人见舌则如故，不知其实断否？其续断，取绢布与人，各执一头，对剪中断之。已而取两断合视，绢布还连续，无异故体。时人多疑以为幻，阴乃试之，真断绢也。其吐火，先有药在器中，取火一片，与黍糖合之，再三吹呼。已而张口，火满口中，因就爇取以炊，则火也。又取书纸及绳缕之属投火中，众共视之，见其烧爇了尽，乃拨灰中举而出之，故向物也。

又如《魏书·西域传》云：

悦般国，真君九年遣使朝献，并送幻人，称能割人喉脉令断，击人头令骨陷，皆血出，或数升或盈斗，以草药内其口中，令嚼咽之，须臾血止，养疮一月复常，又无疮瘢。世祖疑其虚，乃取死罪囚试之，皆验。

此亦支解之类，与颜师古所谓截人者同。惟"养疮一月复常"，则似非幻术，否则何用养疮呢？或作史者有误记。至于唐，高宗虽恶其惊俗，但民间仍多此术的，如张鷟《朝野佥载》云：

河南立德坊及南市西坊，皆有胡祆神庙。每岁商胡祈福，烹猪杀羊，琵琶鼓笛，酣歌醉舞。酹神之后，募一胡为祆主，看者施钱并与之。其祆主取一横刀，利同霜雪，吹毛不过，以刀刺腹，刃出于背，仍乱扰肠肚流血。食顷，喷水呪之，平复如故。此盖西域之幻法也。

又如段成式《酉阳杂俎》云：

元和中，江淮术士王琼，尝在段君秀家，令坐客取一瓦子，画作龟甲怀之。一食顷取出，乃一龟，放于庭中，循垣而行，经宿却成瓦子。又取花含默封于密器中，一夕开花。

此即如颜师古所谓植瓜、种树、屠人、截马之类也。而王琼为国人，可知那时也不仅是外人能够戏演的了。至宋时所谓藏擫藏挟，如《宋志》所载者，实亦是幻术。马端临《文献通考》曾解释藏挟伎云："藏挟幻人之术，盖取物象而怀之，使观者不能见其机也。"吴自牧《梦粱录》中所谓壁上睡、挂香炉、藏剑、吃针等等，当属此种藏挟伎的。至明清而此术益盛，凡江湖卖艺、玩把戏的类能为之，如明谢肇淛《五杂组》云：

幻戏虽小术，亦自可喜。余所见有开顷刻花者，以莲子投温汤中，食顷即生芽舒叶，又食顷生莲花如酒盏大。又有燃釜沸油，投生鱼其中，拨刺游泳，良久如故。又有剖小儿腹种瓜，顷刻结小瓜，剖之皆可食。又有以利刃二尺许插入口，复抽出。至于舞竿走绳，特其平平者耳。

又如清纪昀《阅微草堂笔记》云：

戏术皆手法捷耳，然亦实有搬运术。忆小时在外祖雪峰先生家，一术士置杯酒于案，举掌拍之，杯陷入案中口与案平。然扪案下，不见杯底，少顷取出，案如故。此或障目法也。又举鱼脍一巨碗，抛掷空中不见，令其取回，则曰：『不能矣，在书室画橱夹屉中，公等自取耳。』时以宾从杂还，书室多古器，已严扃，且夹屉高仅二寸，碗高三四寸许，断不可入，疑其妄。姑呼钥启视，则碗置案上，换贮佛手五，原贮佛手之盘，乃换贮鱼脍，藏夹屉中。是非搬运术乎？理所必无，事所或有，类如此。

此所谓搬运术实仍是幻术，然较之吐火之类更为神奇。又蒲松龄《聊斋志异》所述偷桃，有较前述为更奇者，据云：

童时赴郡试，值春，旧例先一日，各行商贾，彩楼鼓吹赴藩司，名曰『演春』。余从友人戏瞩。是日游人如堵，堂上四官皆赤衣，东西相向坐。时方稚，亦不解其何官，但闻人语哜嘈，鼓吹聒耳。忽有一人率披发童荷担而上，似有所白，万声汹动，亦不闻其为何语。但视堂上作笑声，即有青衣人大声命作剧。其人应命方兴，问：『作何剧？』堂上相顾数语，吏下宣问所长，答言：『能颠倒生物。』吏以白官，少顷复下，命取桃子。术人应诺，解衣覆笥上，故作怨状曰：『官长殊不了了，坚冰未解，安所得桃？不取，又恐为南面者怒，奈何？』其子曰：『父已诺之，又焉辞？』术人惆怅良久，乃曰：『我筹之烂熟，春初雪积，人间何处可觅？惟王母园中四时常不凋谢，或有之，必窃之天上，乃可。』子曰：『嘻！天可阶而升乎？』曰：『有术在。』乃启笥出绳一团，约数十丈，理其端，望空中掷去，绳即悬立空际，若有物以挂之。未几，愈掷愈高，渺入云中，手中绳亦尽，乃呼子曰：『儿来，余老惫，体重拙，不能行，得汝一往。』遂以绳授子，曰：『持此可登。』子受绳有难色，怨曰：『阿翁亦大愦愦，如此一线之绳，欲我附之，以登万仞之高天，倘中道断绝，骸骨何存矣？』父又强呜拍之曰：『我已失口，追悔无及，烦儿一行，儿勿苦。倘窃得来，必有百金赏，当为儿娶一美妇。』子乃持索盘旋而上，手移足随，如蛛趁丝，渐入云霄，不可复见。久之，坠一桃如碗大，术人喜，持献公堂。堂上传示良久，亦不知其真伪。忽而绳落地上，术人惊曰：『殆矣！上有人断吾绳，儿将焉托？』移时一物坠，视之，其子首也，捧而泣曰：『是必偷桃为监者所觉，吾儿休矣！』又移时，一足落。无何肢体纷堕，无复存者。术人大悲，一一拾置笥中而阖之曰：『老夫止此儿，日从我南北游，今承严命，不意罹此奇惨，当负去瘗之。』乃升堂而跪曰：『为桃故，杀吾子矣，如怜小人而助之葬，当结草以图报耳。』坐客骇诧，各有赐金。术人受而缠诸腰，乃扣笥而呼曰：『八八儿！不出谢赏，将何待？』忽一蓬头童首抵笥盖而出，望北稽首，则其子也。以其术奇，故至今犹记之。

此真神乎其技，幻术中所谓“大套”的了。其术人似亦有江湖卖艺之流，非外人也。到了清末，又有西人来华表演幻术，当时称为洋戏，如王韬《瀛壖杂志》所记：

西人戏术，若转盘，若缘橦，若登梯，若假面具，回巧献技，不可殚名，而尤以术师瓦纳所演为冠场。戏院顶圆如球，楼岑明灯千点，密于莲房，其光倒映，朗彻如昼。至时泰西士女，宝马香车，络绎奔赴。须臾座客已满，西人而外，粤国裙钗蛮姬，粉黛居多。台上障以绛帘，乐作帘开，中悬一八角图，纸牌遍列其上。术人出，与客为礼，以指弹之，如飞絮落花随风飘堕。取牌六叶置枪中，机动弹发，振地一声，而牌仍在架，神斤鬼斧，不倚不偏。又借客之约指手巾，以炫其奇。约指则倩客闭置盒中，手巾则红白二幅各剪一围，略一指挥，则红白互补，形如满月，又如较射之鹄，顷刻还原，真如天衣无缝，略无补缀痕。约指已挂台上花枝，其变幻不可思议。术人取盒一具，内扁而外方，内置一表，倩客锁闭。台供一器，形类铜钟而有针旋转，如台上之针所指何方，则盒内亦然，屡演不爽累黍。最后取客一高冠，其中空无所有，术人手探之，则取出衣一巾一袴一皮盒一。盒长五寸，盒中有盒，层出不穷，至十二具，累累堆置案上，使复纳入，则一盒都不能容，其巧妙实出言思拟议之外。又向冠中取出纸裹洋糖饷客，冠转而糖出，有若连星贯珠，座客食之几遍。旋将冠置台表，忽冠中有声如枪，震冠为裂，火燄荧然。术人踏火使熄，冠扁作愧赧状，乃叠冠入一铅管中。忽枪发如震霆，冠悬于梁，梁高不可攀，枪再震，则冠已落地，举以还客。俄而西国女童，自帏际姗姗而出，年约十数龄，一种秀曼之气，如初出芙蓉，光彩四射，能作广寒仙子，御风而立。又能作寿阳醉态，横卧空中。其他略如中国搬演戏剧，第妙手空空，绝不借助于寸巾尺袱，所以为佳。其最惊心动魄者，则以匕首决人头也。时绛帘骤下，乐声乌乌，殊惨人耳。帘启，则术人短衣持铃而立，旁一人与术人对峙，术人铿然摇铃作声，其人即昏然如醉。术人引之挺卧桌上，出一剑，光鉴毫发，甫下而头落，血花直喷空际。术人盛首于盘，下台遍示座客，头犹温暖，面色灰败，启其唇以视，犀齿宛然。仍登台，还首于颈，喃喃有词，少顷手足能动，瞬而起坐，与客为礼。恐偃师之技未必有此神奇，泰西闺秀至有不敢仰首正视者，此真可谓无迹象可寻者矣。

此所述幻术，前数种殊无足观，惟后一种较为惊奇，但也不过如古所谓“屠人”而已。同时徐珂《清稗类钞》

亦载其文，云在“同治甲戌(十二年)四月初一夜”，地点在“上海圆明园路西人戏团”，瓦纳则为英人。此外葛元煦《沪游杂记》、黄式权《淞南梦影录》，亦均有同样记载，足见此种幻术在当时颇为轰动的。至于今，幻术仍到处流行，不过不称幻术而都称作魔术了。

七　禽兽鱼虫戏

Animal Show

禽兽鱼虫之戏，其初皆系伪作，如汉张衡《西京赋》中所云：

总会仙倡，戏豹舞罴。白虎鼓瑟，苍龙吹篪。……熊虎升而拏攫，猨狖超而高援。怪兽陆梁，大雀踆踆。白象行孕，垂鼻辚囷。……蟾蜍与龟，水人弄蛇。奇幻倏忽，易貌分形。

此中豹罴等，据薛综注"皆伪作也"，故所谓戏舞鼓瑟吹篪等等，仍是人为而非兽真能戏的。戏此者据《汉书·礼乐志》称为"象人"，孟康注谓"象人若今戏虾鱼师子者也"。到了魏晋南北朝时，还多如此，如《晋书·乐志》所谓"巨象行乳，神龟抃舞"。《魏书·乐志》所谓"增修杂伎，造麒麟、凤凰、长蛇、白象、白虎、辟邪"。以及《隋书·音乐志》所谓"孔雀、凤凰、文鹿、师子之类"。都决不是真的禽兽之戏，也还是伪作的。推其极，不过如三国魏明帝时，扶风人马钧作木人百戏，能自转动而已。《三国志·杜夔传》注引傅玄云：

马先生天下之名巧也。名钧字德衡。……以大木彫构，使其形若轮，平地施之，潜以水发焉。设为女乐舞象，至令木人击鼓吹箫；作山岳，使木人跳丸掷剑缘絙倒立，出入自在；百官行署，春磨斗鸡，变巧百端。

但在北朝赵主石虎时，据晋陆翙《邺中记》所载，有猿骑之戏，则略似兽戏了。记云：

石虎正会，殿前作乐……衣伎儿作猕猴之形，走马上，或在胁，或在马头，或在马尾，马走如故，名为猿骑。

这种猕猴虽还是人饰，但马是真马，实为后世马戏的滥觞。至宋谢庄梁张率所作《舞马赋》，皆为真马而能作戏的。张赋有序云："河南献赤龙驹，有奇貌绝足，能拜善舞，天子异之，使臣作赋。"可知此种马极难得，故天子以为异。到了唐代，则马戏已为常有，如唐郑处诲《明皇杂录》云：

玄宗常命教舞马四百蹄，各为左右，分为部目为某宠某家骄。时塞外亦有善马来贡者，上俾之教习，无不曲尽其妙。因命衣以文绣，络以金银，饰其鬃鬣，间杂珠玉。其曲谓之《倾杯乐》者数十回，奋首鼓尾，纵横应节。又施三层板床，乘马而上，旋转如飞。或命壮士举一榻，马舞于榻上。乐工数人立左右前后，皆衣淡黄衫文玉带，必求少年而姿貌美秀者。每千秋节，命舞于勤政殿下。

且有以宫中女伎骑而戏之的，如李濯有《内人马伎赋》，敬括《季秋朝宴观内人马伎赋》，皆写那种马伎情形的。至于宋，马戏且有种种名目，如宋孟元老《东京梦华录》云：

祇候子弟所呈马骑，先一人空手出马，谓之『引马』。次一人磨旗出马，谓之『开道旗』。次有马上抱红绣之球，系以红绵索，掷下于地上，数骑追逐射之，左曰仰手射，右曰合手射，谓之『拖绣球』。又以柳枝插于地，数骑以划子箭或弓或弩射之，谓之『褙柳枝』。又有以十余小旗遍装轮上而背之出马，谓之『旋风旗』。又有执旗挺立鞍上，谓之『立马』。或以身下马，以手攀鞍而复上，谓之『騗马』。或用手握定镫袴，以身从后鞦来往，谓之『跳马』。忽以身离鞍，屈右脚挂马鬃，左脚在镫，左手把鬃，谓之『献鞍』，又曰『弃鬃背坐』。或以两手握镫袴，以肩着鞍，跷双脚直上，谓之『倒立』。忽掷脚着地，倒拖顺马而走，复跳上马，谓之『拖马』。或留左脚着镫，右脚出镫，离鞍横身，在鞍一边，左手捉鞍，右手把鬃，存身直一脚，顺马而走，谓之『飞仙膊马』。又存身拳曲，在鞍一边，谓之『镫里藏身』。或右臂挟鞍，足着地，顺马而走，谓之『赶马』。或出一镫，坠身着鞦，以手向下绰地，谓之『绰尘』。或放令马先走，以身追及，握马尾而上，谓之『豹子马』。或横身鞍上，或轮弄利刃，或重物大刀双刀百端讫。

此种盖以人戏马，而非马之自戏，但亦可为马戏之一。今西人所演马戏，类多如此。清末王韬《瀛壖杂志》中曾载桐华馆主《观西国马戏记》，可以见古今中外相同的地方：

日落气清，傍黄浦江行，明星万点，与波上下，舆轿车辇，络绎如织。渡浮桥而南，西国戏圃在焉。支大幕为帷。高十丈许，广蔽数亩。中为马埒，其形正圆，植柱其中，是为支幕之极柱。悬煤气灯数十，光明如昼。环埒设座以待客。客入之道在东。埒缺其南为驰道以通马。马之房则在幄外。驰道左庋台奏西国乐。乐再作而马至，男女四人锦衣绣服，各策马骤入环埒交驰，以乐为节。乐少止，八马对立如雁翅。后有一人炫服骤马入，立其中，左之则驰而左，右之则驰而右，衔尾焉，比翼焉，周规折矩，参伍错综。方目眩神骇，几不及数马之多寡，台上乐戛然一鸣，马皆立如植，男行女行犁然也。既罢，则间以杂戏。少顷，一人扬鞭导一白驹入，无衔辔，及埒，则环走如飞。既数周，呵之立止，人以鞭击，辄作胡旋舞，再击则再旋。卓鞭示之，辄人立，以后足行。既又疾驰，使人张布当其道，马辄跃过。初为参角而三张之，既复聚而张之，如画乾卦，马皆一一跃过，无留碍。又横当以木栏，马复连跃如前。忽有一人花面锦衣，状如中国戏剧之丑者，手指口语，解者谓訾其马，马驰至栏所，果局促若不能过。其人怒，挥鞭连击，马辄嘘踢，竟不复跃，合座鼓掌。既复以一驹驾四轮车入埒，绕驰中道，忽不行，力肆腾蹴，当轼故为漆板，蹴之有声，与台上乐节相应。车尾首若髹毵者，驹忽以前足立其上，首与御者并，意若佐之，推车环埒，再周而下。继导一马入，锦鞍无镫，一女窄衣短裙，赤露臂足，跃登其上，马疾驰如矢激。女在马上，蹴踏跳踯，有时翘一足为商羊舞，或侧身倒挂作欲倾跌状。复使人张布当马首，马从布下驰过，女跃越之，仍立马背，三跃三过，不爽分寸，观者色夺，女自若也。又络双马并行，抱置一十岁许小儿其上。既上则两足分踏两马，纵辔疾驰，马虓风入，小儿故作欲堕势，又若怖极欲啼者。一人以鞭击地，催马益驶，台上乐益繁急，少焉马止，小儿翩然下矣。又有一人锦衣驰马，其娇捷作势，与前女子略同，使人手执巨圈当之，马自下驰，人辄贯圈跃登，自贯一圈至六圈。又有黑女子盖阿非利加洲人，立无鞍马背而驰。后有一儿视前儿尤小，莹白如玉，绣衣锦袴，人为抱置马项。女掣之起，儿即立马背，扬手驱马。女复当其腰横擎之，儿伸足张手，嬉笑作态。旋四掌相抵，儿倒植女顶如蜻蜓，马行如电不少驻。既息，女抱儿下，人既奇女，弥复怜儿。又有两马不施衔勒，入埒交驰，忽两首相抵，一马前进，一马倒行，既周，则进退互易如前状。有一人扬鞭叱之，则帖耳摇尾，踏踏然归矣。此马殆不仅知人意，且能通人语也。

此则除马自戏以外，又有人戏马，可谓二难具了。所谓马戏大抵如此，其次应说猴戏，这在晋时也已有了的，如晋傅玄《猿猴赋》云：

余酒酣耳热，欢颜未伸，遂戏猴而纵猿，何瓌瑰之惊人！戴以赤帻，袜以朱巾，先装其面，又丹其唇，扬眉蹙额，若愁若瞋。或长眠而抱勒，或嚄咋而蝈龂，或颙卬而踟蹰，或悲啸而吟呻。既似老公，又类胡女，或低眩而择虱，或抵掌而胡舞。

此或为傅氏偶一为之，但“戴以赤帻，袜以朱巾”；到现在猴戏中的猴还多如此装束，而自长眠以下至胡舞，正是猴戏的情形。其后梁有猕猴幢伎，唐有猕猴缘竿（见《隋书》及《唐书·音乐志》），则猴戏已列为百戏之一。而五代蜀中有杨于度者，即以善弄猴戏闻名。据《野人闲话》（《太平广记》引）云：

蜀中有杨于度者，善弄胡狲，于阛阓中丐乞于人。常饲养胡狲大小十余头，会人语。或令骑犬，作参军行李，则呵殿前后，其执鞭驱策，戴帽穿靴，亦可取笑一时。如弄醉人，则必倒之卧于地上，扶之久而不起，于度唱曰：『街使来！』辄不起；『御史中丞来！』亦不起；或微言『侯侍中来！』胡狲即便起走，眼目张惶，佯作惧怕，人皆笑之。侯侍中弘寔，巡检内外主严重，人皆惧之，故弄此戏。一日，内厩胡狲维绝，走上殿阁，蜀主令人射之，以其矫捷，皆不之中，竟不能捉获者三日。内竖奏杨于度善弄胡狲，试令捉之，遂以十余头入，望殿上拜，拱手作一行立。内厩胡狲亦在舍上窥觑，于度高声唱言：『奉敕捉舍上胡狲来！』手下胡狲一时上舍，齐手把捉内厩胡狲立在殿上。蜀主大悦，因赐杨于度绯衫钱帛，收系教坊。

此种猴戏，至今犹然，其甚者，则如《清稗类钞》所云：

凤阳韩七能弄猴。凡弄猴者仅畜一二，七所畜多至十余，凡猨狙玃父之属，大小毕具，且不施羁勒。每演剧，生旦净丑，鸣钲者，击鼓者，奔走往来者，皆猴也，无一不备，而无一逃者，他弄猴者多异之。

这真是所谓猴戏了，竟与人演者全同，无怪“他弄猴者多异之”的。

与猴戏相似的则有犬戏。按古有“走狗”之戏，如《战国策》云：“临菑甚富而实，其民无不吹竽鼓瑟，弹琴击筑，斗鸡走狗，六博蹋鞠者。”此走狗恐是狗的竞走，如《汉书·东方朔传》所谓“董氏常从游戏北宫，驰逐平乐，观鸡鞠之会，角狗马之足。”角足当是竞走，犹今的跑狗，而非狗的演戏。狗能演戏，其最早见于载籍的，或为《通典》所云：

唐武德中，高昌王文泰献狗雌雄各一，高六寸，长尺余，性甚惠，能曳马衔烛，云本出拂菻国。中国有拂菻狗，自此始也。

然只云曳马衔烛，或未必是戏，因为我国古代，犬之能衔取什么的甚多，如《述征记》有犬衔卵，《后周书》有犬衔兔，《三国典略》有犬取箭，不过权作人事，未必为戏，则《通典》所述，或者并非可认为真正的犬戏。其真正有犬戏记载的，则明谢肇淛《五杂组》曾云“长安丐者有犬戏猴戏”，惟未述其戏法究属如何。至清则《清稗类钞》曾录有一则云：

光绪时，台州人某蓄一犬能读书。初教以人语，渐能了解，乃授以书。始亦甚艰苦，阅十余年，诲之勿倦，自琅琅上口矣，于是携之四方，令献技为活。犬居于笼，至演技时则出，犬乃拜手者再，如拱鼠然。已而启箧，取《礼记》一册，读《檀弓》篇，能不爽一字。既又取《周易》出，读《系辞传》亦甚熟。读毕仍入笼，某乃饲以面包，食已即睡。有人尝亲见之，谓此犬为黑色，为状殊不异常犬，其读书声极嘹亮，惟发音时稍强硬，不能如人语之便捷；然《檀弓》与《系辞传》皆聱牙佶屈，不易上口，而此犬竟能成诵也！

按此虽非作戏，但以犬能读书，亦与戏无异。不过此中亦大有弊端，如袁枚《续子不语》所载，实极不人道之至，据云：

长沙市中，有二人牵一犬，较常犬稍大，前两足趾较犬趾爪长，后足如熊，有尾而小，耳鼻皆如人，绝不类犬，而遍体则犬毛也，能作人言，唱各种小曲，无不按节。观者如堵，争施钱以求一曲，喧闻四野。县令荆公途遇之，命役引归，托以太夫人欲观，将厚赠之。至则先令犬入内衙讯之，顾犬曰：『汝人乎，犬乎？』对曰：『我亦不自知为人也，犬也。』曰：『若何与偕？』对曰：『我亦不自知也。』因诘以二人平素所习业，曰：『我日则牵出就市，晚归即纳于桶，莫审其所为。一日，因雨未出，彼饲我于船上，得出桶，见二人启箱，箱中有木人数十，眼目手足悉能自动。其船板下卧一老人于内，生死与否，我亦不知。』荆公拘二人鞫之，初不承认，旋命烧铁针刺鬼哭穴，极刑讯之，始言：『此犬乃用三岁孩子做成，先用药烂其身上皮，使尽脱；次用狗毛烧灰，和药敷之，内服以药，使疮平复，则体生犬毛而尾出，俨然犬也。此法十不得一活，若成一犬，便可获利终身。不知杀小儿无限，乃成此犬。』问：『木人何用？』曰：『拐得儿。』令自择木人得跛者瞎者断肢者，悉如状以为之，令作丐求钱，以肥其橐。即率役籍其船，于船下得老人皮，自背裂开，中实以草，问：『何用？』曰：『此九十以外老人皮也，最不易得。若得而干之，为屑和药弹人身，其人魂即来供役。觅数十年，近甫得之。又以皮湿未能作屑，乃即败露，此天也命也，只求速死。』荆公乃曳于市，暴其罪而榜死之。犬亦饿毙。

是以孩儿改作兽类，可谓惨酷之至。今日各地多有人面兽身的奇怪动物作戏的，其中恐难免有如袁氏所记，则此种兽戏，殆非厉禁不可了。袁氏又记一则为狗熊，能作字吟诗，居然亦为小孩所做成，地点在苏州的虎丘。可知此种情形，极为普遍。按宋周密《武林旧事》载诸色伎艺人有李三教熊，是宋时已有熊为戏的。明沈德符《万历野获编》亦云"宋时熊翻筋斗"。惟其他载籍甚少记述，不能详引。又有鼠戏，明谢肇淛《五杂组》云："长安丐者有犬戏猴戏，近有鼠戏。鼠至顽，非可教者，不知何以习之至是！"其下并未述及其戏究属如何。至清蒲松龄《聊斋志异》始记录一则云：

王子巽言，一人在长安市上卖鼠戏，背负一囊，中蓄小鼠十余头，每于稠人中出小木架置于肩，俨如戏楼状。乃拍鼓板，唱古杂剧。歌声甫动，则有鼠自囊中出，蒙假面，被小装服，自背登楼，人立而舞，男女悲欢，悉合剧中关目。

此与上引猴戏正同，以鼠而演杂剧，诚如谢氏所谓“不知何以习之至是”！又有虎戏，古时似未所闻，仅见于清黄景仁的《圈虎行》一诗。诗云：

都门岁首陈百技，鱼龙怪兽罕不备。何物市上游手儿，役使山君作儿戏。初舁虎圈来广场，倾城观者如堵墙。四围立栅牵虎出，毛拳耳戢气不扬。先撩虎须虎犹帖，以棓卓地虎人立。人呼虎吼声如雷，牙爪丛中奋身入。虎口呀开大如斗，人转从容探以手。更脱头颅抵虎口，以头饲虎虎不受，虎舌舐人如舐彀。忽按虎脊叱使行，虎便逡巡绕阑走。翻身踞地蹴冻尘，浑身抖开花锦茵。盘回舞势学胡旋，似张虎威实媚人。少焉仰卧若佯死，投之以肉霍然起。观者一笑争醵钱，人既得钱虎摇尾。仍驱入圈负以趋，此间乐亦忘山居。

按今西人马戏班中,时有狮虎象犀之戏,能使凶兽役作儿戏,实较上述猴犬之类为不易。兽类之戏大率如此。唐时有"刺蝟对打,既合节奏,又中章程"。(见唐李绰《尚书故实》)后世似无所闻。大抵此种戏法,全在玩者驯服所致,推陈出新,固不限于上述诸兽而已。

其次则为禽戏,宋时有专教飞禽虫蚁的伎艺人赵十一郎、赵十七郎、猢狲王三人,可知宋时已有禽戏的。明时如《万历野获编》所载,有鸟衔字、雀衔钱之类。又如《五杂组》云:

余庚戌在京师,见戏者笼一小雀,中置小骨牌仅寸许,击小锣一声,雀以口啄其机,门便自开。令取天牌,则含六六出;令取地牌,则含幺幺出:其应如响。观毕,复击锣一声,雀入而门自闭。

是为雀含骨牌，亦与衔字衔钱者同。又清陈其元《庸闲斋笔记》云：

道光壬辰，余应京兆试后，至元氏县省外舅，县城外民家畜一鸡，云能识字。余往观之，见以《千字文》散置于地，呼令取某字来，则应声衔至。余戏令取"鸡田赤城"四字，而匿其城字，则衔鸡田赤三字列于前，而侧首以觅城字不得，若有躁急状，同人均大惊笑。

这也与上述可为一类。而事有更奇特者，则如《清稗类钞》所云：

嘉庆己卯秋，江宁市上有豢蜡嘴鸟以鬻技者。鸟有六，其四自能开箱，衔面具，登小台演剧；其一能识字，取载明《百家姓》之小纸牌各书一字，散布席上，任意呼取某字，自能觅之，百不失一；其一能斗天九牌，可与三人会局作胜负。

其一识字固与上述同，而四能演剧，一能斗牌，则可谓异想天开了。同书又云：

开封有玩鸟者，能驯燕雀打弹衔旗。打弹以左手拿鸟，右手拿弹，弹向空中一掷，鸟即追踪飞去，衔弹飞回。衔旗以旗插于任何处，鸟虽离旗丈余外，见旗即腾然飞去，将旗夺回。

此亦衔之一类，惟技巧略有不同而已。

此外则为鱼虫之戏，名目更多。唐时有蝇虎列阵，如唐段成式《酉阳杂俎》云：

于頔在襄州，尝有山人王固谒见于。于性快，见其拜伏迟缓，不甚知书生，别日游宴，不复得进。王殊快快，因至使院造判官曾叔政，颇礼接之。王谓曾曰：『予以相公好奇，故不远而来，今实乖望矣。予有一艺，自古无者，今将归，且荷公见待之厚，今为一设。』遂诣曾所居，怀中出竹一节，及小鼓规才运寸。良久，去竹之塞，折枝连击鼓子，筒中有蝇虎子数十，分行而出，为二队如对阵势。每击鼓或三或五，随鼓声变阵，天衡地轴，鱼丽鹤列，无不备也。进退离附，人所不及。凡变阵数十，乃行入筒中。曾观之大骇，方言于于公，王已潜去。于公悔恨，令物色求之不获。

此云"自古无者"，确为前所未闻的。至宋则有龟鳖鳅鱼之戏，如宋周密《癸辛杂识》云：

余垂齠时，随先君子故都，尝见戏事数端，有可喜者，自后则不复有之，姑书于此以资谈柄云。呈水嬉者以髹漆大斛满贮水，以小铜锣为节。凡龟鳖鳅鱼皆以名呼之，即浮水面，戴戏具而舞，舞罢即沉。别复呼其他，次第呈伎焉。

至元则有乌龟叠塔与蛤蟆说法诸戏，如元陶宗仪《南村辍耕录》云：

余在杭州日，尝见一弄百禽者，蓄龟七枚，大小凡七等。置龟几上，击鼓以使之，则第一等大者先至几心伏定，第二等者从而登其背，直至第七等小者登第六等之背，乃竖身直伸，其尾向上，宛如小塔状，谓之『乌龟叠塔』。又见蓄蛤蟆九枚，先置一小墩于席中，其最大者乃踞坐之，余八小者左右对列。大者作一声，众亦作一声，大者作数声，众亦作数声。既而小者一一至大者前，点首作声，如作礼状而退，谓之『蛤蟆说法』。此固教习之功，但其质性蠢蠢，非他禽鸟可比，诚难矣哉！

但此二戏，后颇时见。如明沈德符《万历野获编》云：

古来惟弄猢狲为最巧，犹以与人类近也。至鸟衔字，雀衔钱，犬踏橇，羊鸣鼓，龟造塔，已为可怪。若宋时熊翻筋斗，驴舞柘枝而极矣。今又有畜虾蟆念佛者，立一巨者于前，人念佛一声，则亦阁阁一声，如击木鱼，以次传下殆遍。人又起佛号如前，虾蟆又应声凡数十度。临起，又令叩头而散。此亦人所时见者。又闻大父云，有鬻技者藏二色蚁于竹筒者，倾出鸣鼓，则趋出各成行列。再鼓之，则群斗交战。良久，鸣金一声，各退归本阵，鱼贯收之。此更古来所未有矣。

按“古来所未有”，是沈氏特未见《酉阳杂俎》耳，其实唐时已有之。至清时仍有此戏，如清袁枚《子不语》云：

余幼住葵巷，见乞儿索钱者，身佩一布袋两竹筒，袋贮虾蟆九个，筒贮红白两种蚁约千许。到店市柜上，演其法毕，索钱三文即去。一名『虾蟆教书』，其法设一小木椅，大者自袋跃出坐其上，八小者亦跃出环伺之，寂然无声。乞人喝曰教书，大者应声曰阁阁，举皆应曰阁阁，自此连曰阁阁，几聒人耳。乞人曰止，当即绝声。一名『马蚁摆阵』，其法张红白二旗，各长尺许，乞人倾其筒，红白蚁乱走柜上。乞人扇以红旗曰归队，红蚁排作一行。乞人扇以白旗曰归队，白蚁排作一行。乞人又以两旗互扇喝曰穿阵走，红白蚁遂穿杂而行，左旋右转，行不乱步。行数匝，以筒接之，仍蠕蠕然各入筒矣。虾蟆蝼蚁至微至蠢之虫，不知作何教法！

据此所述，可知排阵说法之戏，自唐宋直至明清，无代不有。而近年又有蚤戏，亦如蚂蚁作摆阵之戏，更可谓想入非非者了。又《清稗类钞》尚有金鱼排队，亦与蝇虎蚂蚁等同，兹并附述于此：

有畜金鱼者，分红白二种，贮于一缸以红白二旗引之。先摇红旗，则红者随旗往来游溯，疾转疾随，缓转缓随，旗收则鱼皆潜伏。白亦如之，再以二旗并竖，则红白错综旋转，前后间杂，有如走阵者然。久之，以二旗分为二处，则红者随红旗而仍为红队，白者随白旗而仍归白队，是曰金鱼排队。

禽兽鱼虫之戏，已知上所分述。总之此种物戏，最早始于六朝，至唐宋而始盛，且有专业之者，直至现今，都复流行，只是平时颇不易看到，故本节特多引录前人之作，以见此种物戏，名目殊多，可谓无奇不有的。

八 诸种斗戏

Animal-fighting Show

所谓斗戏，即禽兽虫豸互相争斗之戏，其初本亦为一种物戏，后前近于赌博。兹以推本溯源，附于杂戏之末。

斗戏最早为斗鸡，周时已有之，如《左传》云：“季郈之鸡斗，季氏芥其鸡，郈氏为之金距。”将斗鸡加以武装，用芥加金，可谓重视之至。又如《列子·黄帝篇》云：

纪渻子为周宣王养斗鸡，十日而问：『鸡可斗已乎？』曰：『未也，方虚骄而恃气。』十日又问，曰：『未也，犹应影响。』十日又问，曰：『未也，犹疾视而盛气。』十日又问，曰：『几矣，鸡虽有鸣者，已无变矣。』望之似木鸡矣，其德全矣，异鸡无敢应者，反走耳。

是养斗鸡竟须四十日之久，亦足见当时对斗鸡畜养的郑重了。此戏历代流传，至今不衰。其在唐时，玄宗特为此治鸡坊，贾昌且因此而官军职赐金帛，如唐陈鸿《东城老父传》所云，更属异闻：

> 老父姓贾名昌。……生七岁，趫捷过人，能搏柱乘梁，善应对，解鸟语音。玄宗在藩邸时，乐民间清明节斗鸡戏。及即位，治鸡坊于两宫间，索长安雄鸡金毫铁距高冠昂尾千数，养于鸡坊。选六军小儿五百人，使驯扰教饲。上之好之，民风尤甚，诸王世家、外戚家、贵主家、侯家，倾帑破产市鸡，以偿鸡直，都中男女以弄鸡为事，贫者弄假鸡。帝出游，见昌弄木鸡于云龙门道旁，召入为鸡坊小儿，衣食右龙武军。三尺童子入鸡群如狎群小，壮者弱者勇者怯者，水谷之时疾病之候悉能知之。举二鸡，鸡畏而驯，使令如人。护鸡坊中谒者王承恩言于玄宗，召试殿庭，皆中玄宗意。即日为五百小儿长。加之以忠厚谨密，天子甚爱幸之，金帛之赐，日至其家。

其次则为斗鸭斗鹅，汉时方有之，如《西京杂记》云：“鲁恭王好斗鸡鸭及鹅雁，养孔雀䴔䴖，俸谷一年费二千石。”按鲁恭王为汉景帝之子，是知汉初有此戏的。至魏时文帝且因中州无好斗鸭，遣使向孙权索求（见《三国志》注引《江表传》），权子虑于堂前作斗鸭栏，颇施小巧（见《三国志》本传），皆可见当时的盛行。至晋则有蔡洪的《斗凫赋》：

嘉乾黄之散授，何气化之有灵？产羽虫之丽凫，惟斗鸭之最精。禀离午之淑气，体鸾凤之妙形。服文藻之华羽，备艳采之翠英。冠绿葩以曜首，缀素色以点缨。性浮捷以轻躁，声清响而好鸣。感秋霜之肃烈，从金气以出征。招爽敌于戏门，交武势于川庭。尔乃振劲羽，竦六翮，抗严趾，望雄敌。忽雷起而电发，赴洪波以奋击。

大约斗在秋时，而在水中，是与斗鸡有所不同的。斗鹅大略亦复如此。宋刘义庆《世说新语》云：

桓南郡（玄）小儿时，与诸从兄弟各养鹅共斗。南郡鹅每不如，甚以为忿，乃夜往鹅栏间，取诸兄弟鹅悉杀之。既晓，家人咸以惊骇，云是变怪，以白车骑（桓冲），车骑曰：『无所致怪，当是南郡戏耳。』问果如之。

此为晋时的事。唐则僖宗最爱好此戏，如《新唐书·田令孜传》云："僖宗喜斗鹅走马，数幸六王宅，兴庆池与诸王斗鹅，一鹅至五十万钱。"然此斗鸭斗鹅，终不如斗鸡仍在后世盛行，所以明沈德符《万历野获编》有"此二戏不传久矣"之说。大约自唐以后，即很少有人戏此者了。

其次则为斗蟋蟀，此戏实始于唐，而至后愈传愈盛，近已变为博戏之流。据《负暄杂录》云：

斗蛩之戏，始于天宝间，长安富人镂象牙为笼而蓄之，以万金之资，付之一喙。

按：蛩即蟋蟀。五代王仁裕《开元天宝遗事》云："每至秋时，宫中妃嫔辈竞以小金笼捉蟋蟀闭于笼中，置之枕函畔，夜听其声。庶民之家皆效之。"此虽犹未言斗，要其事近之，或即始于宫中。至宋则贾似道以相国之尊，恒以此为戏，他且撰有《促织经》一书。明时宣宗特为嗜好，而庶人且有因此破家者，如《万历野获编》所载：

闻斗牛最为奇观，然未之见。最微为蟋蟀，然贾秋壑所著经最为纤细详核，其嗜欲情态，与人无异。我朝宣宗最娴此戏，曾密诏苏州知府况钟进千个，一时语云：『促织瞿瞿叫，宣德皇帝要。』此语至今犹传。苏州卫中武弁，闻尚有以捕蟋蟀比首虏功得世职者。今宣窑蟋蟀盆甚珍重，其价不减宣和盆也。近日吴越浪子有酷好此戏，每赌胜负，辄数百金，至有破家者，亦贾之流毒也。

言“贾之流毒”，则以斗戏流为博戏，或者始于贾似道的。又如明陆粲《庚巳编》云：

吴俗喜斗蟋蟀，多以决赌财物。予里人张廷芳者好此戏，为之辄败，至鬻家具以偿焉。岁岁复然，遂荡其产。素敬事玄坛神，乃以诚祷诉其困苦。夜梦神曰：『尔勿忧，吾遣黑虎助尔，今化身在天妃宫东南角树下，汝往取之。』张往掘土，获一蟋蟀，深黑色而甚大，用以斗，无弗胜者，旬日间获利如所丧者加倍。至冬，促织死，张恸哭以银棺葬之。

这真是可谓“斗蟋蟀迷”了。此种至清至今亦然。《聊斋志异》中有《促织》一篇，写张诚的捉蟋蟀，形容尽致，较陆文尤为可观的，兹以文长不录。

与斗蟋蟀相似则为斗鹌鹑，至今亦属于博戏一类了。据徐珂《清稗类钞》云，此戏亦“始于唐。西凉厩者进鹑于玄宗，能随金鼓节奏争斗，宫中人咸养之”。是其初不过养以为戏，后则如明谢肇淛《五杂组》云：“江北有斗鹌鹑，其鸟小而驯，出入怀袖，视斗鸡又似近雅。”但至清时如顾禄《清嘉录》云：

霜降后，斗鹌鹑角胜，标头一如斗蟋蟀之制，以十枝花为一盆，负则纳钱一贯二百，若胜则主家什二而取。每斗一次，谓之一圈。斗必昏夜。至于蓄养之徒，彩缯作袋，严寒则或用皮套，把于袖中，以为消遣。

则直类博戏了。又如清无名氏《蝶阶外史》所云：

鸿僧住持蔡村之兴善寺，村隶武清，距京师百余里。僧好蓄鹑，蓄鹑以万计，最后，得玉鹑，纯洁如雪，长颈短尾，俨然一小鹤也。玉鹑好搏击，每翔起，高三四尺，如俊鹘落，一击辄中，阅千百鹑无与敌者。西贾某畜一黑鹑，色纯墨，短小精悍，每与鹑遇，张两翼伏地，如燕掠水，啄利如锥，当者辟易。人谓玉鹑为天龙，黑鹑为地虎云。两人以鹑故，雅相爱好，惟相戒两鹑勿斗，各恐伤其尤物也。久之，他蓄鹑者皆不敢与两鹑斗，两人不得已，请他人持鹑下，围而潜伺焉，所请人固不知也。既合，两人各变色。既已无可奈何，见玉鹑怒伏以待，黑鹑张两翼伏地，以啄啄玉鹑膺。玉鹑已受数十创，血殷羽毛，突亦张两翼效黑鹑状，往来驰骤，无虑四五百度。最后人不见鹑，第见黑白影驰逐如梭。观者千人，皆屏息啧啧叹赏，以为得未曾有也。玉鹑忽跃起高五尺，突下一击，黑鹑月精已为抉去，垂翅逃去。西贾怒，出白刃相仇，僧谢曰：『我固不知也。黑鹑败诚可惜，请以玉鹑偿子何如？』西贾惭而罢。僧从此不令玉鹑斗，闭以雕笼，笼畔系猰狗，有人近笼，辄狂噬。他人饲玉鹑，玉鹑不食，僧自饲乃食。时鹑为僧所胜金，已买田百顷矣。任城某公子以好鹑负千金，卑礼厚币，假玉鹑去，尽返所负金。僧寿七十余，与鹑相依为命。一日，僧方握鹑，忽示寂，鹑亦在僧手中死。

那真可与上述蟋蟀黑虎相媲美了，天下真有博斗若此的，也是斗戏中的佳话，故不厌琐细，并录于上。

其次又有斗牛，据宋高承《事物纪原》引《风俗通》云："秦昭王时，李冰为蜀守，因怒责江神，后冰与神俱化为苍牛，斗于江岸。"高氏以为此即斗牛之始，是未必可信。惟由此可知宋时已有之，故高氏特加载及。至今则各地斗牛之风仍多，尤以浙江金华一带为盛。清陈其元《庸闲斋笔记》云：

燕齐之俗斗鸡，吴越之俗斗蟋蟀，古也有然。金华人独喜斗牛，则不知始于何时。余在婺州十有六年，每逢春秋佳日，乡氓祈报祭赛之时，辄有斗牛之会。先期觞延客，谒诚敬。比日至之时，国中千万人往矣。斗场辟水田四五亩，沿田塍皆搭台或置桌凳，以待客及本村老幼妇女。卖饼饵者，卖瓜果者，装水烟者，薨薨缉缉然猱杂于前后左右。牛之来也，鸣钲前导，头簪金花，身披红袖，簇拥护之者数十人。既至田中，两家各令健者四人翼其牛。二牛并峙，互相注视，良久乃前斗。斗以角，乘间抵隙，各施其巧。三五合后，两家之人即各将其牛拆开，复簇拥去。观者不知其孰胜负，而主之者已默窥其胜负矣。胜者亲友欢呼从之，若奏凯状。牛亦轩然自得，徐徐步归。负者意兴索然，即左右者俱垂头丧气焉。小负之牛尚可养成气力，更决雌雄；大负则杀而烹之，盖锐气已挫，不能再接再厉矣。斗之日，聚集群牛不下三五十头，其登场相角者亦不过十数头，余皆自崖而返耳。牛之佳者，不大胜亦不大败；次者虽败犹能好整以暇，无辙乱旗靡态；下者则苍黄抵触，血肉淋漓，奔逃横逸，溅泥满身，冲出堤塍，掀翻台凳，不可牵挽。于是老妇孺子暨粉白黛绿者，哗然争避，或失足田中，或倒身岸下，遗簪坠珥，衣服沾濡，头面污损，相将相扶而去，真可谓见豕负涂，载鬼一车矣。斗胜之家，张筵款客，高朋满座。主人轩眉攘臂，矜其牛之能曰：『彼之角如何来，我之角如何往；彼如何攻坚，我如何蹈瑕；我意彼必从是出，而彼竟不料我从此出也。』言之津津，几忘乎我之为牛，牛之为我焉。其畜牛也，卧以青丝帐，食以白米饭，酿最好之酒以饮之。亲朋相访，主人款之，呼酒必嘱曰：『慎毋以饮牛之酒来！』乍闻者以为敬客之意，殊不知饮牛之酒乃是上品，客不得而饮之也。牛所买来之家，呼之曰牛亲家。豢牛之牧童，名之曰牛大舅。其真正儿女亲家，亲之不若与牛亲家亲也。

此视牛尤视人为重，则亦因其能得胜故耳，博者的心理大率如此，正与上之蟋蟀鹌鹑同。此外明时尚有斗鱼，如《五杂组》所谓“今闽蒲中喜斗鱼，其色斓斒喜斗，缠绕终日，尾尽啮断不解”是也。又有斗树，如清焦循《易馀籥录》云：“乾隆间郑人有斗树之会，以枫榆松柏之类长仅三四寸，瓦斗如拳，可笼袖中，以较优劣”是也。然此种斗戏似不普遍，仅限于一时一地而已，兹不详述。

第三章 弈棋

Chess Games

一 围棋

Go

围棋古谓之“弈”，如《论语》:“饱食终日，无所用心，难矣哉！不有博弈者乎？为之犹贤乎已。”《孟子》:“弈秋，通国之善弈者也。”此“弈”皆指围棋。至汉时北方仍称为弈，南方则多称为围棋。如扬雄《方言》:“围棋谓之弈，自关而东齐鲁之间皆谓之弈。”班固《弈旨》:“北方之人谓棋为弈。”其后或称弈，或称围棋，不一而足，但于此可知围棋之称，当始于汉。至于围棋的创始，说者不一，如晋张华《博物志》云:

尧造围棋，以教子丹朱。或云舜以子商均愚，故作围棋以教之。

是为尧为舜，在张氏已疑莫能明。然此恐亦推测之词，未必可信为真。不过因此使我们知道围棋的创始，实在是很远古的，至少春秋战国的时候已很盛行了，至如唐皮日休《原弈》以为"尧之仁，以有苗之慢，尚不加兵，岂教其子以伐国哉？则弈之始作必起自战国。有害诈争伪之道，当从横者流之作矣"。亦不可信，因为孔子已说过博弈的话，孔子并不是战国时的人哩。

围棋最早的局制如何，今已不得而知。汉时据邯郸淳《艺经》云："棋局纵横各十七道，合二百八十九道，白黑棋子各一百五十枚。"始知与今制不同。吴韦昭《博弈论》亦云"枯棋三百"，晋蔡洪《围棋赋》亦云"三百惟群"，是自汉至晋，其制未更。至《孙子算经》始云：

今有棋局方一十九道，问用棋几何？答曰三百六十一。术曰，置一十九道自相乘之即得。

按：此书《隋书·经籍志》著录，惟不著撰人。《唐书·艺文志》则称李淳风注甄鸾《孙子算经》三卷，甄为北周时人，李为唐初时人。其书原本久佚，清乾隆时阁臣从《永乐大典》中辑集，始得其残本，然正文与注文，已相混合，不可复考。如此条为甄氏原文，则南北朝时围棋始改为十九道、三百六十棋了，与今制正同。

又自晋以后，围棋极为盛行，因此有种种别称。如《世说新语》云："王中郎以围棋是坐隐，支公以围棋为手谈。" 王中郎即王坦之，支公即支遁，是晋时有"坐隐" "手谈" 之称。又《晋书·祖纳传》云：

纳好弈棋，王隐谓之曰：『禹惜寸阴，不闻数棋。』对曰：『我亦忘忧耳。』

又梁任昉《述异记》云：

信安郡有石室山，晋时王质伐木至，见童子数人棋而歌。质因听之，童子以一物与质，如枣核。质含之，不觉饿。俄顷，童子谓曰：『何不去？』质起视，斧柯尽烂，既归，无复时人。

于是后世又以围棋有“忘忧”“烂柯”之称。

至于围棋的书谱，历代均有，不胜枚举。今传于世者，以宋刘仲甫《棋诀》为最古，凡一卷四章，一布置，二侵凌，三用战，四取法。又有张儗《棋经》一卷，凡十三篇，一作《元元棋经》，宋晏天章撰。两书皆为弈家所称许，奉为圭臬的。

若论名家，则代不乏人，亦不遑详述，只举其最著名者，附录于后。

周时有弈秋，孟子所谓“通国之善弈者也”。汉时有杜夫子，《西京杂记》称为“天下第一人”。三国时吴有严子卿，《抱朴子》称为“圣于棋者也”；王粲覆局不误一道，明冯元仲《弈旦评》以为“弈中神人也”。晋则棋有九品之分，《世语新语》云：“(江)虨与王恬等，棋第一品。”南朝据《南齐书·卢愿传》，有“第一品王抗”，而明王世贞《宛委馀编》云：“是时魏有范宁儿，偕使者李彪来，一战而胜王抗，宁儿亦第一品也。”至于唐，王氏以“开元王积薪为第一”，其后“滑能与顾师言亦第一品也”。宋则欧阳修《归田录》云：“太宗时有待诏贾元号国手”，徽宗时，蔡絛《铁围山丛谈》云：“刘仲甫号国手”，而后卒为祝不疑所败，因此何薳《春渚纪闻》又称“近世士大夫棋无出祝不疑之右者”。以至于明清，国手更层出不穷。据王世贞《宛委馀编》、冯元仲《弈旦评》、谢肇淛《五杂组》云，其可称为国手者，国初有相子先、楼得达、范洪，其后有鲍一中、程汝亮、颜伦善、李时养四子，最后有王玄所、林符卿等。清则据博山《弈史》所载，国初有过百龄、周懒子、黄月天、徐星友皆称国手，乾嘉时有梁魏今、程兰如、施定庵、范西屏称四大家，至咸同以后，又有十八国手之称，中以陈子仙、周小松可谓一代之殿云。

二　弹棋及其他

Tan Chess and Other Games

弹棋古作“弹碁”，大约其棋以石所制，故作“碁”字，后世则与其他棋制相同，故又作“棋”字罢！其戏实由蹴鞠转变而来，如《西京杂记》云：

成帝好蹴鞠，群臣以蹴鞠劳体，非至尊所宜。帝曰：『朕好之，能择似不劳者奏之。』家君作弹棋以献，帝大悦，赐青羔裘紫丝履，服以朝觐焉。

《西京杂记》旧题为汉刘歆撰，是"家君"指歆父刘向，正是成帝时人。又晋傅玄《弹棋赋》亦云："汉成帝好蹴鞠，刘向以为蹴鞠劳人体，竭人力，非至尊所宜，乃因其体而作弹棋以解之。"可知弹棋确为刘向所创制。但晋徐广《弹棋经序》则云：

弹棋者，仙家之戏也。昔汉武帝平西域，得胡人善蹴鞠者，盖衒其便捷跳跃，帝好而为之，群臣不能谏。侍臣东方朔因以此艺进之，帝就舍蹴鞠而上弹棋焉。习之者多在宫禁中，故时人莫得而传。至王莽末，赤眉凌乱，西京倾覆，此艺因宫人所传，故散落人间。及章帝御宇，好诸技艺，此戏乃盛于当时。

是以汉武帝时东方朔所进。武帝下距成帝百余年，使人殊难索解，或为徐氏所误记，亦未可知，但弹棋之始于西汉，据此可无疑义。至其戏法，据邯郸淳《艺经》云：

二人对局，白黑棋各六枚，先列棋相当，下呼上击之。

大约与今日打弹子相仿佛，以互相弹打为主。至其用意，正与蹴鞠相同，不过一在场上，一在局上而已。又据无名氏《弹棋经后序》云：

自后汉冲质已后，此艺中绝。至献帝建安中，曹公执政，门阑幽密，至于博弈之具，皆不得妄置宫中。宫人以金钗玉梳，戏于妆奁之上，即取类于弹棋也。及魏文帝受禅，宫人所为，更习弹棋焉。

是汉时原有的弹棋，至冲质以后已中绝，及魏文受禅，方才重有此戏，因此后人颇多以弹棋谓始于魏，如《世说新语》所云：

弹棋始自魏宫内用妆奁戏，文帝于此戏特妙，用手巾角拂之，无不中。有客自云能，帝使为之，客著葛巾角，低头拂棋，妙踰于帝。

大约至魏，弹棋之制已有变异，且用巾拂之，更非为古制所有，故《世说新语》以为始于魏的宫中。唐段成式《酉阳杂俎》云："魏戏法，先立一棋于局中，斗余者，间白黑围绕之，十八筹成都。"是与汉制不相同的。而且棋数似已改作十六枚，如魏文帝《弹棋赋》云："直扣先纵，二八次举。"又丁廙《弹棋赋》亦云："棋则象齿，列数二八。”均称棋数为二八十六枚，且为象齿所制。又棋局则中隆四平，如魏《赋》云：“局则丰腹高隆，庳根四颓。”丁《赋》云：“隆中夷外，卑高得所。”此或亦为与汉制不同的地方。总之，弹棋虽始于西汉，但后因中绝，至魏复兴，其间不无改革之处，所以后世的弹棋，应始于魏的。

但弹棋至唐，又变魏制，增棋为二十四枚，如柳宗元《弹棋序》云：

房生直温与予二弟游，皆好学。予病其确也，思所以休息之者，得木局隆其巾而规焉，其下方以直。置棋二十有四，贵者半，贱者半，贵曰上，贱曰下，咸自第一至十二。下者二乃敌一，用朱墨以别焉。房于是取二毫如其第书之。既而抵戏者二人，则视其贱者而贱之，贵者而贵之。其使之击触也，必先贱者，不得已而使贵者，则皆慄焉惛焉，亦鲜克以中。其获也，得朱焉则若有余，得墨焉则若不足。

又《西阳杂俎》亦云:"今弹棋用棋二十四,以色别贵贱。"到了宋代,则渐废绝,如宋沈括《梦溪笔谈》云:

弹棋今人罕为之。有谱一卷,盖唐人所为。其局方二尺,中心高如覆盂,其顶为小壶,四角微隆起。今大名开元寺佛殿上有一石局,亦唐时物也。李商隐诗曰:『玉作弹棋局,中心最不平。』谓其中高也。白乐天诗:『弹棋局上事,最妙是长斜。』长斜谓抹角斜弹,一发过半局,今谱中具有此法。柳子厚《叙棋》用二十四棋者,即此戏也。《汉书》注云:『两人对局,白黑子各六枚。』与子厚所记小异。

于此可见弹棋时有变更,初用十二棋,继用十六棋,终用二十四棋,以后即渐失传,不知有此戏了。惟后世有弹子之戏,或即渊源于此,如明谢肇淛《五杂组》云:

弹棋之戏，世不传矣，即其局亦无有识之者。今闽中妇人女子，尚有弹子之戏。其法以围棋子五，随手撒几上，敌者用意去其二而留三，所留必隔远，或相黏一处者，然后弹之，必越中子而击中之，中子不动则胜矣。此即弹棋遗法，魏文帝客以葛巾拂无不中者也，但无中央高之局耳。

按此戏今儿童犹多戏之者，是弹棋虽亡，其遗制尚未全泯的。前书又云：

委巷儿戏，则有行棋，或五或七，直行一道，先至者胜，此古蹇融制也。有马城不论纵横，三子联则为城，城成则飞食人一子。其它或夹或挑，就近而食之，不能飞食也。又有棋局如螺形，四面逐敌，子入穷谷中而后提取之，曰旋螺城。虽鄙亵可笑，细玩亦有至理存焉。

此戏今亦有戏之者，兹亦附述于弹棋之后。

此外汉魏六朝之间，尚有其他杂棋，如邯郸淳《艺经》所述，有夹食，“二人黄黑各十七棋，甲乙迭推，二棋夹一为食棋。”有悁闷，“先布本位，以十二时相从。”所谓十二时即十二棋，棋以时名，如子丑寅卯之类。有簸子，“始十子争先，以落多为不妙。”颇似今日用算盘的移子。至晋有四维，据晋李秀《四维赋序》云：

『四维戏者，卫尉挚侯所造也。画纸为局，截木为棋，取象元一分而为二。准阴阳之位，拟刚柔之象。而变动无为，生乎其中。』

然其戏法究属如何，不得而知。挚侯不知即挚虞否？他曾官卫尉卿。又后魏游肇曾造儒棋，自云："古之为玩者，莫不竞进其功，塞杀为乐，未有以谦退为胜，通生为乐，故因暇隙，聊复措意。"这是他造儒棋的动机，所以棋有十枚，白黑各半，名称则有智礼仁义善敬德忠顺，甚为儒雅。惟此种棋戏，恐与四维同样，皆为文士游戏之作，在当时固未流行，在后世更无所谓影响了。附录于此，聊存其制而已。

三　周武象戏

Zhouwu Symbol Chess

象戏今人多以为象棋的远祖，实非。象戏乃象天法地之戏，为北周武帝所创制，与今的象棋实不相侔。按《周书・武帝纪》云："天和四年，帝制《象经》成，集百僚讲说。"又同书《王褒传》云："高祖(即武帝)作《象经》，令褒注之，引据该洽，甚见称赏。”此所谓《象经》，即言象戏之经，惜今均已不传。今传于世者，仅王褒《象经序》、庾信《象戏赋》及《进象戏赋表》三文而已。王《序》只言“一曰天文以观其象，二曰地理以法其形”等等的大道理，并未说明其局制与戏法如何。惟庾《象戏赋》叙述颇详，兹节录如下：

局取诸乾，仍图上玄。月轮新满，日晕重圆，模羽林之华盖，写明堂之璧泉。坤以为舆，刚柔卷舒。若方镜而无影，似空城而未居。促成文之画，亡灵龟之图。马丽千金之马，符明六甲之符。

此一段赋其局制。云“乾”云“玄”，皆言其局上圆以象天；云“坤”，言其局下方以法地。“方镜”“空城”仍言其形。“成文”当是局上画以纹路，“亡图”乃是没有种种的图象，“马”当是计胜负的筹马，“符”当是行走的棋子，“六甲”或指为六棋罢！

于是搢笏当次，依辰就席，回地理于方珪，转天文于圆璧，分荆山之美玉，数蓝田之珉石。南行赤水之符，北使玄山之策，居东道而龙青，出西关而马白。既舒玄象，聊定金枰，昭日月之光景，乘风云之性灵，取四方之正色，用五德之相生，从月建而左转，起黄钟而顺行，阴翻则顾兔先出，阳变则灵乌独明。

此一段赋其戏法。先言人各就席，大约仅为两人。“方珪”“圆璧”乃言其局，“美玉”“珉石”乃言其棋，当为玉石所制。“南行”以至“出西”，当是行棋于四方。“四方正色”或为采名有四。“五德相生”疑如格五至五格不得行。“月建”“黄钟”当指棋有十二，人各六棋，使左传右行，如一岁的有十二月，黄钟的有十二律。如此说来，象戏实与古之博塞相似，不过名称更见雅驯而已。清倪璠注庾氏此赋，曾作总解云：

象戏之制，其法不传，以赋按之，盖弹棋、格五、六博之遗意也。《楚辞》曰：『菎蔽象棋有六博。』王逸曰：『以菎蔽作箸，象牙为棋。』疑本此为象戏矣。今按赋中『局取诸乾』、『坤以为舆』二章，明是上圆下方，类弹棋局矣。又按『从月建而左转』、『起黄钟而顺行』，盖取十二之数，明是用十二棋也。历谛传记，象戏之法，盖本诸此。依文即事，难可复寻。愧非张华博物，胥臣多闻，上追覆局之能，直拟看碑之识，安能别其行阵也乎？

盖年代久远，赋文又多雕辞琢句，难以使人尽悉，不仅倪氏为然，我们也有同感。但由此可知象戏绝非即今之象棋，其体制是完全不同的。又孟森《象棋以欧制为近古说》中，曾论此种象戏，以为或源于古之卜筮。其说云：

考《史记·日者传》：『今夫卜者必法天地象四时，顺于仁义，分策定卦，旋式正棋，然後言天地之利害，事之成败。』《索隐》云：『按式即栻也，旋，转也。栻之形上圆象天，下方法地，用之则转天纲，加地之辰，故云旋式。棋者筮之状，正棋盖谓卜以作卦也。』按术数中今尚有《灵棋经》，古卜筮亦用棋。其所谓象天法地，即周武象经所从出。谓其皆相贯注以成吾国艺术之渊源，无不可也。

孟氏此说，亦别有见地，以其同为象天法地的。此戏仅行于北周，后遂无闻于世了。至宋时有所谓“七国象戏”及“广象戏”的，实非此象戏的嫡传，不过沿用其名称，而与后之象棋较为接近，另详于下节象棋中，兹不赘。

四　象戏与象棋

Symbol Chess and Chinese Chess

今日所流行的象棋，实始于唐，几经改革，而至南宋始渐与今制相同。按僧念常《佛祖历代记载》卷廿二于唐文宗开成己未下有“制象碁”三字，原注云：“昔神农以日月星辰为象；唐相国牛僧孺用车马将士卒加炮，代之为机矣。”此机字疑为棋字之误，是象棋明为唐牛僧孺所创制。近人胡適据此作《考作象棋的年代》云：

那时候中国与印度交通已近千年。也许这种游戏，从印度、波斯传进来已久，到牛僧孺才把它改作一种中国的象棋戏。念常此书记佛教事，忽插入这一段，似不是有心作伪；大概佛教徒也知道象棋是从印度输入的，故把它记在佛教史里。

是胡氏直认象棋为印度所输入，后经牛僧孺改作而为中国式的。此说是否可信，姑置勿问，但象棋之始于唐代，据此而更可确信。至牛氏之制象棋可阅他所撰《玄怪录》中的《岑顺》。这是一篇小说，借岑顺以记他象棋制度的。原文颇长，兹节录如下：

汝南岑顺字孝伯，旅于陕州。其外族吕氏有山宅，将废之，顺请居焉。夜中闻鼓鼙之声，独喜自负，以为石勒之祥。祝之曰：『阴兵助我，当示我以富贵期。』数夕后，梦一人被甲胄前报曰：『金象将军使我语岑君，军城夜警有喧诤者，既负壮志，能猥顾小国乎？』顺谢曰：『犬马之志，惟欲用之。』使者复命。顺忽然而寤，俄然鼓角四起，须臾有卒赍书云：『将军传檄。』顺受云：『天那国北山贼合从，克日会战。』顺室中益烛，坐观其变。夜半后，鼓角四发，两皆列阵，东壁下是天那军，西壁下是金象军。部设各定，军师进曰：『天马斜飞度三止，上将横行系四方。辎车直入无回翔，六甲次第不乖行。』王曰：『善。』于是鼓之，两军各有一马，斜去三尺止。又鼓之，各有一步卒横行一尺。又鼓之，车进。如是鼓渐急，而各出物包，矢石乱交。须臾之间，天那军大败。如是数日会战，胜败不常。王宴馔珍筵，与顺致宝贝明珠珠玑无限。顺遂荣于其中，所欲皆备。后遂亲朋稍绝，闭关不出。家人异之，莫究其由，而顺颜色憔悴，为鬼气所中，诘之不言。饮以醇醪，醉而究泄之。潜备锹锸，因顺如厕而隔之。荷锸乱作，掘室内八九尺，忽坎陷，是古墓也。墓有金床戏局，列马满枰，皆金铜成形，其干戈之事备矣。乃悟军师之词，皆象戏行马之势也。既而焚之，遂平其地。多得宝贝，皆墓内所蓄者。顺阅之，恍然而醒，乃大吐，自此充悦，宅亦不复凶矣。时宝应元年也。

按：宝应为唐代宗年号，元年(762)距文宗开成己未(839)，相隔不过七十七年而已，是言牛氏所创，确非虚词。此虽神话，要为牛氏自述其制。观其所述，有马、将、军、卒，名称与今象棋全同，惟尚无士、象、炮三棋。至马、将、卒的行法，亦与今同，惟车直入无回翔，与今稍异耳。

到了宋代，有所谓"七国象戏"及"广象戏"，实亦为象棋的异称，不过局制与今并不同。七国象戏为司马光所创制，后人以其与今制不同，称为"古局象棋"。今有《古局象棋图》一书，即为光所著的。原文如下：

七国象戏，用百有二十，周一，七国各十有七，周黄秦白楚赤齐青燕黑韩丹魏绿赵紫。周居中央不动，诸侯王得犯。秦居西方，韩、楚居南方，魏、齐居东方，燕、赵居北方。七国各有『将』，直斜行无远近；一『偏』，直行无远近；一『裨』，斜行无远近(虽名象戏而无『象』及『车』者，车即将及偏裨所乘，象不可用于中国故也)；一『行人』，直斜行无远近，不能役敌，敌亦不能役；一『炮』，直行无远近，前隔一棋乃可击物，前无所隔及隔两棋以上则不可击；一『弓』，直斜行四路；一『弩』，直斜行五路；二『刀』，斜行一路；四『剑』，直行一路；四『骑』，曲行四路，谓直一斜三。凡欲戏者，所得之国则相之，在坐七人则各相一国，六人则秦与一国连衡，五人则楚与一国合从，四人则齐与一国合从，三人则秦与二国连衡。或但令在坐之人，各占一国而空其余国。其所与之国，惟相所择，遂并相之。先誓之曰：『所相之国，亡得妄代之谋，及告以难犯者，先罚酒。秦楚韩齐魏赵燕以次移棋，棋已离故处，亡得复还，及误移棋者，皆有罚。若击与国，则尽撤去与国之棋。凡能擒敌将者胜，虽未擒获，一国吏士过十者胜。彼所获吏士虽未满十，而此亡吏士已过十者负。』于时坐上获最多者胜，胜者饮负者，既饮，敛棋出局。有擒二将或获诸吏士满三十者霸，霸则诸国皆服，遍饮在坐而罢。一骑当弓弩刀剑之二，炮当三，稗当四，偏当五。

是此种象戏，多至七国。棋则有将、偏、裨、行人、炮、弓、弩、刀、剑、骑十种之多。据其所注，是当时象棋，原有象车，光则废象而改车为偏裨。行人当是后来士之类，弓、弩、刀、剑当为光所增入。然此戏当时似未必流行，故其书直至光孙樟时方传布于世。其创此戏目的，或如叶德辉跋语所云："其时辽夏分争，中原未归一统，公于象局小技，借以激发人心，尊朝廷而复疆土"之意罢！

广象戏为晁补之所创制。原书已佚，《文献通考》曾引其自序云：

象戏，戏兵也。黄帝之战，驱猛兽以为阵。象，兽之雄也，故戏兵而以象戏名之。余为儿时无他弄，见设局布棋为此戏者，纵横出奇，愕然莫测，以为小道可喜也。稍长，观诸家阵法，虽画地而守规矩有截，而变化舒卷出入无倪，其说亦可喜。暇时因求所谓象戏者，欲按之以消永日，盖局纵横路十一棋三十二为两军耳，意苦而狭也。尝试以局纵横路十九棋九十八广之，意少放焉。然按图置物，计步而使，终亦胶柱而已矣。而智者用之，则十九者之间尽强弱之形，九十八者之间尽死生之势，而十九、九十八之外，死生强弱可循环于无穷。饱食终日，得吾说而为之，则涿鹿之纵观犹目前矣。

据此所述，可知宋时原有所谓“路十一棋三十二为两军”的象棋。除路今改为九外，棋三十二为两军正与今制同。晁氏嫌其“意苦而狭”，推广为“路十九棋九十八”，故名广象戏。然此亦仍恐为晁氏私制而已，在当时未必流行。至此三十二棋名称，晁氏既未述及，不得而知。惟程颢有《象戏》诗云：

大都博弈皆戏剧，象戏翻能学用兵。车马尚存周战法，偏裨兼备汉官名。中军八面将军重，河外尖斜步卒轻。却凭纹楸聊自笑，雄如刘项亦闲争。

是知三十二棋中有军、马、偏、裨、将、卒，与七国象棋名称多同，然与今制还是相异的。

到了南宋，则已与今制完全相同了。刘克庄有《象弈一首呈叶潜仲》云：

小艺无难精，上智有未解。君看橘中戏，妙不出局外。屹然两国立，限以大河界。连营稟中权，四壁设坚械。三十二子者，一一具变态。先登如挑敌，分布如备塞。尽锐贾吾勇，持重伺彼怠。或迟如围莒，或速如入蔡。远炮勿虚发，冗卒要精汰。负非由寡少，胜岂系强大？昆阳以象奔，陈涛以车败。匹马郭令来，一士汲黯在。献俘将策勋，得隽众称快。我欲筑坛场，孰可建旗盖？叶侯天机深，临阵识面背。纵未及国手，其高亦无对。扭捷敢饶先，讳输每索再。宁为握节死，安肯屈膝拜！有时横槊吟，句法尤雄迈。愚虑仅一得，君才乃十倍。霸图务并弱，兵士贵攻昧。虽然属克获，巨可自侈状！吕蒙能馘羽，卫瓘足缚艾。南师未宜轻，夜半防斫寨！

此诗中所谓两国主，当如今的将帅，大河界当如今的汉河楚界，其他如炮、卒、象、车、马、士，与今无一不同，且名称亦无差异。而北宋时所谓偏、裨、行人之类，至此均已改换过了。所以今日的象棋制度，实始于南宋，这是可以确信无疑的。

自是以后，象棋就未曾有改变过，一直流传到现在。今日所可考见者，明时有《金鹏秘诀》《梦入神机》《适情雅趣》《橘中秘》等象棋谱，前二书已失传，后二书存。《适情雅趣》实选前二谱而成，计十卷，为金陵徐芝选，刊于隆庆四年(1570)。《橘中秘》实改编《适情雅趣》而成，东海朱晋桢辑，刊于崇祯五年(1632)。

到了清时，象谱更多，如《乐在其中》《象棋百变谱》、王再越《梅花谱》、周廷梅《会珍阁象棋谱》、张沛霖《桐花馆象棋谱》、朱禅《雪映簃象棋谱》、张乔栋《竹香斋象棋谱》、陆凤瑞《石琴室象棋谱》、三乐居士《韬略玄机》、于国柱《烂柯神机》等，皆为此中著名者，至今犹多流传于世的。而乾隆时名家辈出，如费国禧《象谱说荟》云：

当乾隆中叶，象戏盛行，人才辈出。其最著者，共有九派十有一人：

毗陵派——武进周廷梅、阳湖刘之怀
吴中派——吴县赵耕云、长洲宋小屏
武林派——钱塘袁彤士
洪都派——南昌于乐年
江夏派——江夏黄同孚
彝陵派——宜昌梁虚舟
顺天派——大兴常用禧
大同派——大同阎士奇
中州派——开封许塘

时称『江东八俊』『河北三杰』，而周廷梅遍历南北各省，战胜各派，遂称天下国手，而创毘陵正派，从之学者二百余人，颇极一时之盛。周子业木商，颇知诗书，于学艺尤精，弱冠即负盛名，年逾七十，犹乐此不疲。尝入蜀采木，游鱼腹浦，观武侯八阵图遗迹，顿悟弈理，归而揣摩，技遂益进。行子敏捷，若有神助，变化无端，神妙莫测。论者谓其棋艺之妙，静则如山，动则若水；又如神龙变幻，莫识其竟，可以前无古人，后无来者，故一时名手均非其敌云。所著象谱有《会珍阁》四十卷，及改编《梅花谱》二卷。

此后张沛霖（字雨苍，别号菱湖居士）、朱禅（字太玄，别号圆性尊者）均系周氏入室弟子，继毗陵正派而执象坛牛耳。与张乔栋（字兰汀，别号栎洲散人）、陆凤瑞（字啸梧，别号石琴老人）齐名于时，称雄江左。至咸同时，武进马相如，好学嗜棋，尝设局与人角艺，亦一时健者云。

第四章 博戏

Gambling Games

一 博与塞

Bo and Sai Chess Games

博，古作“簙”。《说文》：“簙，局戏也，六箸十二棋也。古者乌曹作簙。”乌曹据《世本》为夏桀之臣，不知确否？又宋何法盛《晋中兴书》云：

陶侃在荆州，见佐吏博弈戏具，投之于江曰：『围棋者，尧舜以教愚子；博者，殷纣所造。诸君并怀国器，何以为此？』

是以博为殷纣所造，与《说文》所云不同。然据《史记·殷本纪》云：“帝武乙无道，为偶人谓之天神，与之博，令人为行，天神不胜，乃僇辱之。”武乙为纣的曾祖，其时已有博了,则博的创始,确不在纣时的。陶侃所说,恐误夏桀为殷纣耳。

博的别称很多,如汉扬雄《方言》云:

博谓之蔽,或谓之箘,秦晋之间谓之博,吴楚之间或谓之蔽,或谓之箭里,或谓之博毒,或谓之夗专,或谓之匴璇,或谓之棋。所以投博谓之枰,或谓之广平。所以行棋谓之局,或谓之曲道。

又因其行六棋,通称“六博”,六或作陆。如《楚辞·招魂》“菎蔽象棋,有六簙些。”王逸注云:“投六箸,行六棋,故为六博也。”又《史记·苏秦列传》云:“临菑甚富而实,其民无不吹竽、鼓瑟、弹琴、击筑、斗鸡、走狗、六博、蹋鞠者。”《索隐》亦引王逸注《招魂》语,谓“行六棋故云六博。”盖此种博戏,人行六棋,两人共为十二棋,故《说文》又谓十二棋也。

博既以棋与箸二物为戏，棋当如弈棋的棋，箸又名为箭，魏张揖《广雅》云："博箸谓之箭。"又《韩非子·外储说》云：

秦昭王令工施钩梯而上华山，以松柏之心为博箭，长八尺，棋长八寸，而勒之曰：『昭王尝与天神博于此矣。』

亦以箸称箭。盖箸形与箭形相似，皆用竹制，故可通用。至秦昭王以松柏之心为箭，且长至八尺(按周制一尺约当今制六寸)，当以与天神为博，非常制明甚。按《西京杂记》(此书或云汉刘歆撰，或云晋葛洪撰)云：

许博昌，安陵人也，善六博。……法用箸，或谓之究，以竹为之，长六分。

许为汉人，所言虽为汉制，但逆料古时，当亦如此，是箸长不过六分而已。又“箸或谓之究”，则箸又别名为究了。按颜之推《颜氏家训·杂艺》篇云：“古为大博则六箸，小博则二焭，今无晓者。”清卢文弨注云：“焭即琼也，温庭筠诗用双琼，即二焭也。”又清桂馥《说文义证》簙字条云“究当为焭”。又焭即琼，两字皆通。是《西京杂记》所谓究，实焭字之误，焭则又可作琼。又据颜氏所云，是古博实有二种，即一为“大博”，用六箸十二棋，箸亦名箭；一为“小博”，用二焭十二棋，焭又名琼。箸箭皆从竹，或即为竹所制；焭就是琼，琼从玉旁，或为玉所制罢！上引《招魂》“菎蔽”，王逸注云：“菎，玉。蔽，博箸，以玉饰之也。”是博箸确也有玉饰之的。箸犹玉饰，琼更不用说了，自然用玉制的。至此二种博戏，戏法是否相同，今不可考。《列子·说符》篇云：

虞氏者，梁之富人也，家充殷盛，钱帛无量，财货无訾。登高楼，临大路，设乐陈酒，击博楼上，侠客相随而行。楼上博者射，明琼张中，反两㩉鱼而笑。

此博已用琼，当是小博。据东晋张湛注云：“击，打也，如今双陆棋也。韦曜《博弈论》云，设木而击之是也。”是博戏亦称“击博”。至其博法，张氏又引《古博经》云：

博法，二人相对坐，向局。局分为十二道，两头当中名为水。用棋十二枚，法六白六黑。又用鱼二枚，置于水中。其掷采用琼为之。琼畟方寸三分，长寸五分，锐其头。钻刻琼四面为眼，亦名为齿。二人互掷采行棋，棋行到处即竖之，名为骁，棋即入水食鱼，亦名牵鱼。每牵一鱼，获二筹，翻一鱼，获三筹，若已牵两鱼而不胜者，名曰被翻双鱼。彼家获六筹为大胜也。

此《古博经》不知为谁所撰，既称为古，当是尚属古制。观其所述，二人为戏，棋各六枚，分白黑二色，免相混淆。掷采则用琼，惟不言枚数，但既为琼，当是小博，只有二枚。另有鱼二枚，当是获胜的目的物。《列子》所谓“博者射”，据注“射亦曰投”，是即掷琼之意，故下文有“明琼张中，反两擒鱼而笑”，盖已得大胜，故可笑也。又“擒”字据注为衍文。

琼既为投掷之用，当如后世的骰子，上刻采名，即《古博经》中所谓“钻刻四面为眼，亦名为齿”。为眼为齿，实即所刻的采，仅有四面，与今骰子有六面者不同。至采名为何，据《后汉书·梁冀传》注引鲍宏《博经》云：

用十二棋，六棋白，六棋黑。所掷投谓之琼，琼有五采：刻为一画者谓之塞，刻为二画者谓之白，刻为三画者谓之黑，一边不刻者五塞之间谓之五塞。

鲍宏为隋时人，所言是否古制，不得而知。既云“琼有五采”，不应只为四面。然细观其采名，则一画为塞，二画为白，三画为黑，所言固甚明晰，至云“一边不刻者五塞之间谓之五塞”，则语殊含混。若五塞为一采名，适为四采；若五塞之间的五塞均为采名，塞固为一画的塞，五则未详何采，疑莫能明。我意如确为五采，于一塞二白三黑外，应尚有“刻为四画者谓之五”，然后再接“一边不刻者五塞之间谓之五塞”，于义方明。如此琼的五面、四面皆刻有画数，各有采名，惟第五面不刻画数，亦无采名，以其在五塞两采之间，故名五塞。否则应作“一边不刻者谓之五”，其中“五塞之间”四字当是衍文，下一“塞”字或属下文，为注者所误引，亦未可知。如是四采为塞、白、黑、五，与《古博经》四面正合。又《招魂》述六博后有“成枭而牟，呼五白些”。王逸注云：“倍胜为牟。五白者，博齿也。”博齿亦即琼采，故有五白。至枭则为棋名，如《战国策・楚策》云：“夫枭之所以能为者，以散棋佐之也。夫一枭之不敌五散也明矣。”又《韩非子・外储说》中亦云：“博者贵枭，胜者必杀枭，杀枭者是杀所贵也。”均言棋中有枭，大约六棋之中，一棋为枭，在棋中为最贵，余五棋为散棋，或尚有名称，今已不可考知了。

此种博戏，大约始于殷，盛于周秦汉魏之间，至南北朝已渐废绝，故颜之推云"今无晓者"。

塞本作簺，古常与博并称，如《管子·四时》篇云："秋三月以庚辛之日发五政，一曰禁博塞。"又《庄子·骈拇》篇亦云："臧与谷二人相与牧羊，而俱亡其羊。问臧奚事？则挟策读书。问谷奚事，则博塞以游。"皆以博塞并举，可知此戏周时也很盛行。又名"格五"，如《后汉书·梁冀传》注引鲍宏《簺经》云：

簺有四采，塞白乘五是也，至五即格不得行，故谓之格五。

又《汉书·吾丘寿王传》云："吾丘寿王以善格五召待诏。"颜注引苏林曰："博之类，不用箭，但行枭散。"又引刘德曰:“格五棋行。簺法曰,簺白乘五,至五格不得行,故云格五。”皆言簺即格五。《说文》云:“簺,行棋相塞谓之簺。”相塞亦即相格不得行之意,故与博之戏法,并不相同,且仅有棋,而无箭箸。惟既无箭箸,即无琼也,何以又有采名?此点颇疑莫能明。按后汉边韶《塞赋》云:

始作塞者,其明哲乎?故其用物也约,其为乐也大,犹土鼓篑枹,空桑之瑟,质朴之化,上古所耽也。然本其规模,制作有式。四道交正,时之则也。棋有十二,律吕极也。人操厥半,六爻列也。赤白色者,分阴阳也。乍亡乍存,象日月也。行必正直,合道中也。趋耦方折,礼之容也。迭往迭来,刚柔通也。周则复始,乾行健也。局平以正,坤德顺也。

则塞之局有四道。棋与博同,亦为十二,两人相戏,各得其半;色分赤白,与博的黑白微异。至行必正直“趋耦方折”，当是行棋的方法。亦未明言有投琼之事，所谓“塞白乘五”，究系何种采名，赋中并未说明。且此四采，与博的采名极为相似，仅“黑”作“乘”而已。因此我疑此“四采”者，或者即“四道”的名称，分为塞、白、乘、五。棋必直行，遇耦则折，如是由第一道至第二三道，即由塞采至白乘采，皆可通行无阻，所谓“迭往迭来”，“周则复始”，或指此三道而言的。惟至第四道即五采，则格不得行。正如现在的算盘走子，有时也格不得行的。

此种塞戏，亦惟至汉时尚见流行，后亦失传无闻了。

二　樗蒲五木

Chupu Chess Game

樗蒲今通作摴蒱，大约以其为博戏，故后人改从手旁，实则字书并无此二字。据宋郑樵《通志 · 昆虫草木略》云：

樗似椿，北人呼山椿，江东人呼虎目。叶脱处有痕，为樗蒲子，又如眼目，故有其名。

是樗蒲之称，实由樗叶脱处有痕之形而来，作手旁无义可取。又据晋张华《博物志》云"老子入胡作樗蒲"，似为老子所首创者，然此说殊不可信。按：后汉马融《樗蒲赋》云："昔玄通先生游于京都，道德既备，好此樗蒲。伯阳入戎，以斯消忧。""伯阳"据《史记》为老子的字，张氏或因此而称老子所作，亦未可知。但汉人作赋，往往虚捏人名，如子虚乌有，皆无其人，此云玄通伯阳，或者也是假借而已。不过因此我们知道汉时已有此戏，其创始也很早的。马《赋》又云：

枰则素旃紫罽，出乎西邻，缘以缋绣，紩以绮文。杯则摇木之干，出自昆山。矢则蓝田之石，卞和所工，含精玉润，不细不洪。马则玄犀象牙，是磋是砻。杯为上将，木为君副，齿为号令，马为翼距，筹为策勋，矢法卒数。于是芬葩贵戚公侯之俦，坐华榱之高殿，临激水之清流，排五木，散九齿，勒良马，取道里。是以战无常胜，时有逼逐，临敌攘围，事在将帅。见利电发，纷纶滂沸，精诚一叫，十卢九雉。磊落踸踔，并来猥至，先名所射，应声纷溃。胜者欢悦，负者沉悴。

是当时的樗蒲，有枰、杯、矢、马等物。枰即局盘。杯似博塞中的棋，而另有木有齿，此木齿当为箸琼之类，用以投掷。马则取道里，似亦在局上行走的。矢则为计胜负的筹算。又据李肇《唐国史补》云：

洛阳令崔师本，又好为古之樗蒲。其法三分其子三百六十，限以二关，人执六马。其骰五枚，分上为黑，下为白。黑者刻二为犊，白者刻二为雉。掷之全黑者为卢，其采十六；二雉三黑为雉，其采十四；二犊三白为犊，其采十；全白为白，其采八；四者贵采也。开为十二，塞为十一，塔为五，秃为四，撅为三，枭为二；六者杂采也。贵采得连掷，得打马，得过关；余采则否。

是其子有三百六十枚，当为马《赋》中的杯，马似同马，其数为六。“其骰五枚”，似即赋中的“五木”。惟赋云“九齿”，齿即采名，此共十采，似已多出一齿。至“十卢九雉”，是诸采中以卢为最大，雉次之，彼此正同。又唐李翱《五木经》，述此更详，兹亦引录以资参证：

樗蒱五木玄白判，厥二作雉，背雉作牛。王采四：卢、白、雉、牛；旿采六：开、塞、塔、秃、撅、捣。全为王，驳为旿。皆玄曰卢，厥策十六；皆白曰白，厥策八；雉二玄三曰雉，厥策十四；牛三白三曰犊，厥策十；雉一牛二白三曰开，厥策十二；雉如开，厥余皆玄曰塞，厥策十一；雉白各二玄一曰塔，厥策五；牛玄各二白一曰秃，厥策四；白三玄二曰撅，厥策三；白二玄三曰捣，厥策二。

但此戏到了晋后，仅以五木作戏，而无子无马了。如《晋书·刘毅传》云：

毅在东府聚樗蒲，大掷一判，应至数百万。余人并黑犊以还，唯刘裕及毅在后。毅次掷得雉，大喜，褰衣绕床，叫谓同坐曰：『非不能卢，不事此耳。』裕恶之，因挼五木久之，曰：『老兄试为卿答。』既而四子俱黑，其一子转跃未定，裕厉声喝之，即成卢焉。毅意殊不快然，素黑其面，如铁色焉，而乃如言曰：『亦知公不能以此见借。』

此外同书《慕容垂载记》称垂子“宝在长安，三掷尽卢”。《南齐书·李安民传》称“安民五掷皆卢”。《梁书·韦叡传》称“曹景宗掷得雉，叡徐掷得卢，遽取一子反之，遂作塞”。《周书·王思政传》称“太祖命诸将樗蒲，次至思政，掷为卢”。凡此所述，皆称樗蒲仅用五木投掷为戏，而以卢为最胜。否则如尚须走子行马，则刘毅得雉以后，如何“褰衣绕床”，即可离局？所以如李翱作《五木经》，即直称为樗蒲五木了。樗蒲乃系旧称，而五木实为当时的新名，正如后世骰子本用于彩选，后亦专以投掷为戏，不用彩选的了。此戏至唐渐废，代而兴之者为骰子。然其名称，尚为后人所沿用，即今日也有称博戏为樗蒲的。

三 握槊双陆与长行

Woshuoshuanglu Chess Game and Changhang Chess Game

握槊后名双陆，至唐又名长行，盖一戏而异其称，而稍有改变者。宋洪遵《谱双》云：

双陆最近古，号雅戏。以传记考之，获四名，曰握槊，曰长行，曰婆罗塞戏，曰双陆。盖始于西竺，流于曹魏，盛于梁陈魏齐隋唐之间。我太宗皇帝播之声诗，纪于奎文，双有光矣。阅时益久，中州泯泯罕见，而殊方偏译，类能为之。

这是说双陆始于西竺(印度),至宋初犹传,而其后则渐废绝,只流行于"殊方偏译"之地。然云"流于曹魏",实为元魏之误。盖《魏书·术艺传》中,明云"握槊盖胡戏,近入中国。云王有弟一人,遇罪将杀之,弟从狱中为此戏以上之,意言孤则易亡也。世宗以后大盛于时。"如在曹魏,则《魏书》何以云"近入中国"?故知最早流入,当在南北朝时。至其局制,最初已不可考。唐时所谓长行,则李肇《唐国史补》云:

今之博戏,有长行最盛。其具有局有子,子黄黑各十五,掷采之骰有二。其法生于握槊,变于双陆。天后梦双陆而不胜,召狄梁公说之,梁公对曰『宫中无子之象』是也。后人新意,长行出焉。监险易者,喻时事焉,适变通者,方易象焉。王公大人颇或耽玩,至有废庆吊忘寝休辍饮食者。及博徒用之,于是强各争胜,谓之『撩零』;假借分画,谓之『囊家』;囊家什一而取,谓之『乞头』。有过宵而战者,有破产而输者。

可知唐时极为盛行，且有“囊家乞头”之事。其戏有子有骰，似仅二物，则与我国古时的六博颇相类的。至宋时的双陆，洪遵《谱双》一书中载之颇详，有北双与南双之分。北双即流行于辽金的，又分为五，即平双陆、三梁双陆、七梁双陆、打间双陆、回回双陆是。其《盘马》云：

北双陆盘如棋盘之半而长，两门二十四路，皆刻出，用象牙实之。以渤海榛木为重盖，不假施漆，而尘垢不能侵；或以花石砌饰，以木承之。以白木为白马，乌木为黑马，富者以犀象为之。马底圆平而杀，其上长三寸二分，上径四分，下径寸一分，大抵如今人家所用捣衣椎状。

此白马黑马，即上引《唐国史补》所谓“子”，惟唐时为黄黑，此时作白黑了。而其形如椎状，似亦与唐时之称子者不同，或与初制尚相类的。南双又称番禺双陆，即流行于番禺（在今广东）一带，又有下曦双陆、三推双陆、啰赢双陆、不打双陆、佛双陆五种之分。其《盘马》云：

番禺打双陆曰打双陆，盘曰双陆板，马曰双陆子。番禺人以板为局，布黑道而漆之，或以纸，或画地为之。以黄杨木为白子，桄榔木为黑子，底平，柄短如截柿，如浮屠形。

是南双亦称为子，与唐同，惟形如浮屠，则与椎状仍相似。至此十种双陆戏法，大略相同，兹引平双陆一例如下：

平双陆一名契丹双陆。凡置局，二人白墨各十五马为数。用骰子二，据彩数下马。白马自右归左，墨马自左归右。凡马尽过门后，方许对彩拈出。如白马过门掷六二即出左后一梁，左后五梁马遇它彩亦然。拈马先尽赢一筹，或拈尽而敌马未拈赢双筹。（骰子今称色数儿，掷出重色浑花，俱呼为准，如准么准六之类。）

此中所谓“梁”者，即“路”之意，南双又称为“门”。每局分十二路，即置马子于其上，互相掷骰行走。双陆之称，盖即取双方各分六路的意思罢！

此戏自宋以后，正如洪遵所云“中州泯泯罕见”，近更无人知之者了。

四 骰子彩选诸戏

Dice-throwing Game

今日诸种博戏中所通用的骰子，实始于唐，乃由五木转变而来。本作投子，后以骨制，乃作骰子，实则骰乃股字，如唐李匡乂《资暇集》云：

投子者，投掷于盘筵之义。今或作『头』字，言其骨头所成，非也；因此兼有作『骰』字者。案：诸家之书，骰即股字尔，不音投。《史记》蔡泽说范雎曰：『博者或欲大投。』裴注云：『投，琼也。』则知以玉石为投掷之义，安有头骰之理哉？

此种借用，可知唐时已属如此。即其性质实与六博的琼相同。由琼一变而为五木，再变而为骰子。宋程大昌《演繁露》云：

骰子之制，固知祖袭五木，然而详略大率不同也。五木止有两面，骰子则有六面，故骰子著齿，自一至六，为采亦益多。率其大而言之，则是裁去五木两头尖锐，而魇长为方。既有六面，又著六数，不比五木但有白黑两面矣。

此与五木作一比较，极为明晰。程氏又云：

唐世则镂骨为窍，朱墨杂涂，数以为采。亦有出意为巧者，取相思红子纳置窍中，使其色明现而易见，故温飞卿艳词曰：『玲珑骰子安红豆，入骨相思知也无？』凡此二者，即今世通名骰子也。

此以镂骨为骰，始于唐时，盖唐以前唯用五木。至“朱墨杂涂，数以为采”，即骰子中以点数为采名，又杂涂以朱墨之色。今一点四点皆涂朱色，而四点之涂朱色，实为玄宗所特赐，如唐潘远《西墅记谈》云：

骰子饰四以朱者，玄宗与贵妃采战，将北，唯重四可转败为胜。上掷而连呼叱之，骰子宛转良久，而成重四。上大悦，命将军高力士赐四绯。

此重四后亦称为“堂印”，如《刘宾客嘉话录》云：“饮酒家谓重四为堂印”，大约就因玄宗所赐的缘故罢！

不论琼五木或骰子，其初皆为其他博戏中的附属品，用以投掷而已。至唐也有以骰子为专戏的，别称之为“叶子戏”或“彩选”，实为后世“升官图”的嚆矢。叶子戏相传始于唐之李郃，如《太平广记》云：

唐李郃为贺州刺史，与妓人叶茂莲江行，因撰《骰子选》，谓之叶子戏。咸通以来，天下尚之。不知应本朝年祚，正体书叶字廿世木子，自武德至天祐恰二十世。

又宋高承《事物纪原》亦云：

《彩选序》曰，唐之衰，任官失序，而廉耻路断。李贺州郃讥之，耻当时职任，用投子之数，均班爵赏，谓之彩选，言其无实，惟彩胜而已。

皆言为李郃所创，而讥当时任官失序的。可知戏时必尚有图，如后世升官图之类。又唐房千里《骰子选格序》云：

开成三年春，予自海上北徙，舟行次洞庭之阳，有风甚急，系舟野浦下三日。遇二三子号进士者，以六骰双双为戏，更投局上，以数多少，为进身职官之差数，丰贵而约贱。卒局，座客有尉掾而止者，有贵为相臣将臣者，有连得美名而后不振者，有始甚微而欻升于上位者。

按开成为唐文宗年号，下距懿宗咸通不过二十余年，可知房氏所序，正为李制。其法用骰子六枚，互相投掷。“以数多少，为进身职官之差数”，是与后世的升官图，如同一辙。惟时代有转移，职官有差异，故法虽同而体制又稍不同了。李氏此戏，至宋时已失其传，代之而兴者则为宋的彩选了。如宋欧阳修《归田录》云：

叶子格者，自唐中世以后有之。说者云：『因人有姓叶号子青者撰此格，因以为名。』此说非也。唐人藏书，皆作卷轴，其后有叶子，其制似今策子。凡文字有备检用者，卷轴难数卷舒，故以叶子写之，如吴彩鸾《唐韵》、李郃《彩选》之类是也。骰子格本备检用，故亦以叶子写之，因以为名尔。唐世士人宴聚，盛行叶子格。五代国初犹然，后渐废不传。今其格世或有之，而无人知者，惟昔杨大年好之。仲待制，大年门下客也，故亦能之。大年又取叶子彩名红鹤、皂鹤者，别演为《鹤格》。郑宣徽章郇公，皆大年门下客也，故皆能之。余少时亦有此二格，后失其本，今绝无知者。

可知李选宋初犹存，后渐失传。宋初则有杨亿(字大年)的《鹤格》，但不久亦失其本。另据宋徐度《却扫编》云：

彩选格起于唐李郃。本朝踵之者，有赵明远、尹师鲁，元丰官制行，有宋保国，皆取一时官制为之。至刘贡父独因其法，取西汉官秩升黜次第为之，又取传所以升黜之语注其下，局终遂可类次其语为一传，博戏中最雅驯。

则其后尚有赵、尹、宋、刘诸选格，今前三人之书均失传，惟刘著尚存，名《汉官仪》。其引言云：

凡此书皆汉仪也，故始为戏者，先置盆入金，以象口钱。非刘氏不得王，为宗正及尚公主，以象一姓。汉自董仲舒言历者，皆曰土德之运其数五，五五二十五极矣，故率二十五掷，乃一终局。

是其掷法略有不同，规制还是模仿唐时的。又宋王辟之《渑水燕谈录》云：

近世职方员外郎曹谷，损益旧本，撰《旧欢新格》，尤为详密。其法：用匾骰子六只，犀牙师子十事，自盆贴而下，分十五门，门各有说，凡名彩二百二十七，逸彩二百四十七，总四百七十四彩。余家有其格，而世无能为者。

是亦彩选的一种。惟以上所述，类为文士所制，在当时或未必十分通行，故在后世也很少流传了。到了明代，据谢肇淛《五杂组》云，又有《升官图》《选仙图》《选佛图》之作。他说："唐李郃有《骰子选格》，宋刘蒙叟、杨亿等有《彩选格》，即今《升官图》也。又有《选仙图》《选佛图》，不足观矣。"其中惟《升官图》至今犹复流传，相传为明末倪元璐所制，原名《彩选百官铎》。但谢氏辈行较倪氏为早(谢为万历二十年进士,倪于二十一年始生),则倪制或略变前人所制而成,并非出自创造的。清金学诗《牧猪闲话》云:

今俗所传《升官图》,以文武出身分仕途,以人品忠佞分胜负。六子以四为『德』,以六为『才』,以二三五为『功』,以么为『赃』。遇德则超迁,才次之,功亦升转,遇么则降罚。

这是《升官图》超迁升转降罚的大略情形。至于清代,又有《群仙庆寿图》。据徐珂《清稗类钞》谓:"高宗尝于几暇,取《列仙传》人物,绘《群仙庆寿图》,用骰子掷之,以为新年玩具。"似为高宗所创制。有《八仙过海图》,据德龄公主《清宫二年记》,为慈禧太后所创制。有《揽胜图》,为闽人高兆所创制。到了现在,则又有

《民国升官图》之类。都可说由唐代彩选一脉相承而来的。

骰子戏除上述以外，还有用之于酒令的，名目更多。如“除红”，为宋朱河所创制，用骰子四枚，而除“四红”言之，故名。如四六六六，除四红外，则为十八点。因此采名甚多，皆借词牌以为名，如十八点为“得胜令”，十七点为“皂罗袍”。至元有“醉绿”，为张光所创制，用骰子五枚，以三同为主，除三同外，以余二色计之。其凡例有“得幺幺、二二、三三、四四、五五点为赏采，幺六、二六、三六、四六、五六、六六为罚采”。其戏法颇多与除红相同，当是祖述除红而稍变化的。至明则自一枚至六枚，皆有戏法，见潘之恒《六博谱》。一枚为《投琼谱》，相传皇甫嵩作，谱云“每与客饮，辄投色令覆射，不中即浮以大白，如其色数”。二枚为《双成谱》，相传丁讽作，“每宴饮，辄令女妓博色觅对，先得对者为胜。”三枚为《斗腰谱》，称登瀛子作，“色之数起于三，以成对者，亘其首尾，而所余一色，间其中为腰象焉。”大约三枚之中,两枚须为同点,中一枚以大小斗胜负,故云斗腰罢!四枚即《除红谱》。五枚为《合欢谱》,袁舜臣作,大抵与醉绿略同。六枚为《宣和谱》,相传为宋徽宗时宫中之戏,"其法四同之外,以二合之数,分而计之。"按此与后之"掷状元"者颇同。清金学诗《牧猪闲话》云:

骰子之制,不过六子,子各六面,而角胜之道,种种各异。有曰『掷状元』者,用筹马以四绯多者为胜,另有全色,五子一色,合巧,分相,不同,马军,四序等名,次第俱得胜采。有曰『掷老羊』者,集五六人分朋列座,以一人轮流为桩,余皆出注,视所掷之三子同色外,计余三子之大小以为胜负。有曰『掷拕窖』者,即视同色之三子,计其大小以为胜负,如遇四子五六子皆同则更胜。如此之类,不可枚举。今俗通行之老羊尤甚,皆不知所自始。

是则清代骰子之戏，新兴名目亦多。盖骰子虽仅六点，而变化殊无穷的。

五　宣和牌

Xuanhe Poker

宣和牌相传为宋徽宗宣和二年所创制，即今所谓“牌九牌”者是。清陈元龙《格致镜原》引《诸事音考》云：

宋宣和二年，有臣上疏设牙牌三十二扇，共计二百二十七点，以按星辰布列之位。譬『天牌』二扇二十四点，象天之二十四气；『地牌』二扇四点，象地之东西南北；『人牌』二扇十六点，象人之仁义礼智，发而为恻隐羞恶，辞让是非；『和牌』二扇八点，象太和元气，流行于八节之间；其他牌名，类皆合伦理庶物器用。表上，贮于御库，疑繁未行。至宋高宗时始诏如式颁行天下。

其他如明谢肇淛《五杂组》，清金杏园《宣和谱牙牌汇集》均有此说。然宋时戏法如何，今不得考。今所知者，则为明人如瞿佑、顾应祥二人所撰的《宣和谱》，皆以三扇为一副。本为牙制，至明则为骨制，故通称骨牌，如《五杂组》云：

今博戏之盛行于时者，尚有骨牌。其法古不经见，相传始于宣和二年，有人进此，共三十二扇，二百二十七点，以按星辰之数。……其取名亦皆有意义。对者十二为正牌，不对者八为杂牌。三色成牌，两牌成而后出色以相赛。其取名如『天圆地方』『樱桃九熟』之类。后人敷衍其说，易以唐诗一句，殊精且巧矣。

所谓后人易以唐诗一句，即瞿顾二谱是，如《瞿谱》以“樱桃九熟”（即幺幺、四幺、幺幺三扇）引李颀诗句“四代五公享第土”，顾谱引杜甫诗句“九重春色醉仙桃”是也。两谱所列，牌式多同，惟诗句各异，此乃文人游戏之作，殊无足述。瞿谱共列五十八式，顾谱则为六十式。然三扇牌式变化，实不止此数，此不过举其正牌而已。至其戏法，据金杏园《宣和谱牙牌汇集》云：

凡铺牌，每人八扇，以三扇合成一牌，五色一样，或三色相同者，要配十四点至十八点，皆成牌，不足点为亡牌，若三同五点亦成牌。两牌既成，余二扇是为推出。色样或成『天』『地』『人』『和』，则赢五注。『天地分』『念三』，四注。两扇一样为对牌，二六、三六为『交叉对』，一名『丫髻对』，又名『叉兄弟』，三注。么二、二四为『至尊』，九、八、七、五、四杂对，原谱不载，后人增而用之。至尊五注，四杂对与他对等。千红、黑尽，二注。余较点大小，一注。

其中所谓“干红”为四六六六，“黑尽”为五五六六。此种牌戏，以明时至清初较为盛行，后则似已废绝，盖变化太多，令人须按谱查对，不能悉记。至此牌的由来，上文虽云“有臣上疏”，实如清汪师韩《谈书录》所云：“骨牌之戏，乃骰子之变，故《宣和牌谱》以三牌为率，三牌乃六面也。”

宣和牌三扇之戏，既如此麻烦，于是后来也就改为两扇以戏了。这最早有“斗天九”。明潘之恒《续叶子谱》云：

斗天九之戏，汪乔孙自广陵传来，云是吴兴斗牌法，颇与『看虎』相似，宜即广陵为之。

是此戏始于吴兴，后传自广陵(即今江苏武进)。至其戏法，潘氏又云：

天九斗法，用旧牌三十二片，分为五队，而正杂之别，为华夷界焉。三六、二六以点不齐，黜而夷之。凡华得二十有二，而夷得十。华队成三，而夷惟二。华何所尊，尊天也。故天牌居华首，执者无敌，双出者赏四筹，长六是已。而地人和次之，为前队。次选累色牌，首长五，次长三、长二为中队。而听制于前，单则单制，双则双制，各以序；惟单能破双，令长六不得成功者有之矣。次取对色五六、四六、幺六、幺五为后队；而听制于中，单双相制如前。而前队亦不得相越以制，不务勤远也。然自天牌以下，无殊赏，以牌计筹而已，示权无所分也。夷何所尊，尊九也，故九居夷首，执者双出，亦称无敌，赏四筹，与华同，三六、四五是已。次以点对，二六、三五称『八』，二五、三四称『七』，幺四、二三称『五』，各为偶相属，为正队。而二四、幺二独以外夷鄙之。然自九以下，各相为制，如华例。其行陈大略如『看虎』法，三人行，各取九，余五为营；二人行，各取十三，余六为卫。营卫以伏，故莫得窥。善兵者交智，善战者伐谋，此之谓也。

据此所述，乃将牌三十二扇，分为十六对。其中又分华夷两队，华得天牌至幺五共十一对，夷得九至幺二二二四共五对。到了清代，华夷改称为文武，而牌制仍同，且除天地人和外，其他亦各有名称，如《牧猪闲话》云：

天地人和为『大牌』，十二巫山、叠胜环、八珠环为『长牌』，双蝶戏梅、天圆地方、锦屏风、楚汉争锋为『短牌』，以上总称为『文牌』。九八七五四对为『武牌』。幺二、二四双扇为『至尊』，单扇亦称为武牌。

其中“十二巫山”即长三；“叠胜环”即长五，今别称“梅花”；“八珠环”即长二，今别称“板凳”；“双蝶戏梅”即幺五，今别称“铜柱”；“天圆地方”即幺六，今别称“一六”；“锦屏风”即四六；“楚汉争锋”即五六，今别称

"虎头"。而至尊之称，始见于此，在明代犹未有的。至其戏法，名目殊多，如《牧猪闲话》所云：

凡戏具皆须纠率同志，惟骨牌可以独坐自怡，故功令不禁，以为非赌具也。或旅馆萧寥，或蓬窗寂静，未携书籍，更鲜朋欢，时一拈弄，足以消暇。其名有打五关、相十副、拆搭、掘藏、喜相逢、拾元宝、牵虱钻等目。若遇两三人及四人同坐，拈一人为首，次第抹牌，以三页配搭为一副，取五子一色、合巧、分相、不同等名，与六骰采色正同，谓之游和。

可知此种宣和牌，到了清代，有一人戏的，二人以至四人戏的。至最后一种，即与前述《宣和谱》同，其称"游湖"或"由吾"，徐珂《清稗类钞》云："游湖一曰游和，对于碰和之和而言也；亦曰由吾，谓可任己意也。"又汪师韩《谈书录》云："杭之西湖，苏之虎邱（丘），扬之红桥，其船皆曰湖船，客皆曰游湖。马吊取乘马之义，游湖取乘舟之义。”是始作者或为游湖的客人们了，故名。

至于今日，以上诸戏已若存若亡，而最通行的则为“打牌九”，又有大小之分，大者四扇成一牌，小者二扇成一牌，各比大小，以博输赢，虽仍分为四人之戏，然入注者则已不限人数了。此外又于三十二扇外增加扇数，而别有同棋花牌等名目，说详于下节。

六　同棋与花牌

Tongqi Mahjong and Hua Poker

同棋为清代盛行的骨牌戏之一，但至今渐已失传，戏者绝少。按《牧猪闲话》云：

或于三十二页之外，加倍而又半之，为八十页，则每种各五页；又以武牌三六、四五等均作每种五页，与文牌同，则又加二十五页，为一百五页，亦曰『碰和』。

此“碰和”金氏未述其戏法如何,但牌数却与同棋相合,或即是同棋的初名罢!是此戏盖始于乾隆年间。

同棋或作同异,共一百〇五张,即二十一牌名,每种各有五张。其中天、地、人、梅花、长三、长二为“长头”,和、五六、幺二、二四、四五、三六为“将牌”,幺五、四六、二六、三五、二五、三四、二三、幺四为“短头”,还有幺六一种,居重要地位,俗称“大幺六”。

同棋以四人为戏,用天地人和四牌扳位,得天牌的做庄。庄的上家,拿牌二十四张,砌成十二幢。其他三人,各拿牌二十张,铺成平方形,放在自己面前。尚余二十张。别置一处,称为“垃圾牌”。

牌既砌定,于是由庄的对家,用骰子三枚掷点,上家即看所掷点数,在十二幢牌上开门。双数从左面数起,单数从右面数起,数到与点数相同的第几张牌,将它翻出,叫做“庄张”。(如点数为十二点,即从右面数起,至第十二张翻出,放在幢上。)又以所掷点数,规定各人拿牌,如三、七、十一、十五诸点为“穿”,即庄家拿对家牌，对家拿庄家牌，上家拿下家牌，下家拿垃圾牌。四、八、十二、十六诸点为“倒”，即庄家拿下家牌，下家拿对家牌，上家拿庄家牌，对家拿垃圾牌。五、九、十三、十七诸点为“自”，各自不动，惟上家无预先铺成的牌，则拿垃圾牌。六、十、十四、十八诸点为“上”，即庄家拿垃圾牌，下家拿庄家牌，对家拿下家牌，上家拿对家牌。此与后来马将的拿法相同，但现在马将又不用此法了。

牌既拿定，即在各人面前竖起理牌，凡有尅子（即三张相同），不同（即三张中幺至六皆全），五子（即三张有五点相同，如两张地牌与一张幺二，其中共有五幺之类），皆可成牌，通称“一净”。如有四张相同则为“大子”，五张相同则为“龙船”。然后由庄家先拿“庄张”后，即打出一张，向右轮流拿牌打牌，或吃或碰，一如打马将然。不过同棋相同的牌每种各有五张，故如一人出牌，两人都可碰时，则规定上家可碰下家不可碰，第一次不碰第二次不可碰。如是二十张中，成为六净，尚余二张，即可等张，如遇另一张出来，适与余二张可成一净，便是和牌。

牌既和后，即可计算和数。凡长头与将牌，尅子二和，大子六和，龙船十和。短头尅子无和，大子二和，龙船五和。五子与不同均无和数。和的人尚有和张的和数，吃是五和，碰是四和。四人把和数算好，互比多少，以多为胜，不管和与不和，故如和家得十四和，而不和家得十八和时，和家仍须输不和家四和，此与花牌同而与马将牌绝异。同时庄家与散家，为十与一之比，即庄家输出或赢进，均须十倍于散家。

其次为花牌，今通称为“挖花”，其始亦如同棋，约在乾隆年间。《牧猪闲话》中所谓“碰花将和”，就是现在的花牌。他说“或以天地人和等牌为将，抹得者倍采，或就其中数页，添绘花枝，以一页当二页。”按花牌共一百二十六张，是由一百〇五张中添加二十一张，盖本为“一页当二页”，后乃索性添加一张，故得此数。今花牌中半数于牌上刻有绿色方框，俗称“有花牌”，余为

“无花牌”。有花牌中又分二种，一为每种二张，点形与无花全同，不过多一方框而已；一为每种一张，于方框之中刻有二样点色，俗称“叠大”（如天牌叠大，有二天牌刻于牌中，一在左上角，一在右下角），再加无花每种各二张，故共得一百二十六张。

此一百二十六张中，以天地为“双将”最大，人、和、梅花、长三、长二、四六、幺六、二五、三四为“将牌”次之，其余为“闲牌”最小。但另有摇将办法，在理牌时由庄家的对家用骰子二枚掷之，和牌时再由庄家掷之，前后二次，将掷得骰上骰下的点数，均可提高地位。此时闲牌可升为将牌，将牌可升为双将，双将可升为双双将。如骰点上为幺二，则下为五六，二种本是闲牌，但都可升为将牌。

花牌亦为四人之戏，惟砌牌与同棋不同，庄家砌十五幢，余砌十六幢，分而成一方城式。然后由庄的对家，用骰子二枚掷点数，以数的多少，依照后来马将办法开门，各人依次拿牌，每次两幢，共拿五次，计二十张。

此二十张中，各在自己面前竖起理牌，使每种各成一对，如有三张四张，均须将此多张打出，俗称“攻子”。但如三张都为有花(即一叠大与二有花)，则三张亦可成牌，俗谓之“敲”，不可打去。至单独无对，俗称“宕张”。对子亦有大小，以叠大与有花为最大，叠大与无花或两有花次之，有花与无花更次之，两无花最小。

牌既理毕，由庄家先在方城上拿牌一张，然后打出一张，各人轮流，周而复始。如上家出牌，下家可以成对，即可拿来，俗谓之“吃”。如原有有花两张，适遇上家也出有花，即可拿来，俗谓之“敲”。如原有对子较小，适遇上家出张大牌，改换便大，也可拿来，俗谓之“穿”。凡吃敲穿，只限下家对于上家，否则不能。如果二十张中，已成九对，则尚余二张，已可等张。如遇与其中一张相同，即可以和。另外一张，是谓“宕头”，不用打去。不过两张都为有花，固然都可来和，但如一张有花，一张无花，则必须无花来和，有花不能，故打牌之时，宁留有花，先将无花打去为是。

牌既和后，各人计算道数。凡一叠大与一有花，如是双将为一千二百八十道，将牌减半，闲牌只一百六十道。一叠大与一无花或两有花，双将为六百四十道，将牌减半，闲牌只八十道。一有花一无花，双将为三百二十道，将牌减半，闲牌只四十道。两无花双将为一百六十道，将牌减半，闲牌只二十道。此外双将敲为二千五百六十道，将牌敲减半，闲牌敲只三百二十道。宕头叠大双将为二千五百六十道，将牌减半，闲牌只三百二十道。宕头有花，则照叠大减半。道数算毕，即互比多少，亦如同棋以多者为胜，不在和与不和。同时庄家与散家为二与一之比，即庄家不论输出或赢进，均照散家照倍计算。

七　马吊牌

Madiao Poker

马吊牌为明代的一种博具，现在各地通行的纸牌，犹存它的遗制，而最盛行的马将牌，也由它转变而来。不过马将牌用骨制，而马吊牌则用纸制，故当时亦通称为“叶子”，但与唐代的叶子戏完全不同。其所以称为叶子的，实是纸牌的异称，如明潘之恒《叶子谱》云：“叶子，古贝叶之遗制。前人削桐书柿，题枫佩兰皆取诸叶，此简策之所昉也。”潘氏此书，亦述马吊牌的，其称叶子，亦无非取简策（纸）之意而已。

马吊牌究始于明代何时，现在尚难确定。清李邺嗣《马吊说》以为始于明之天启，此说极不可信，因为《叶子谱》的作者潘之恒，为嘉靖时人，则明代中叶业已流行。按清尤侗《戒赌文》云：“吾闻此风，明末最盛。曰闯曰献，又曰大顺。流贼作乱，其名皆应。相公马吊，百老阮姓。南渡亡国，不祥先谶。”所谓此风，正指马吊，以为明末最盛，且应了马士英、阮大铖之辈，可知此戏产生必在明的中叶，至明末乃大盛行。天启之说，或者正指它最盛行的时期罢！又据张潮《昭代丛书》为尤文作小引云：“马吊之法，创自弇州。"弇州当指弇州山人，为王世贞别号。但潘之恒与王世贞友善，马吊果为王氏所创，潘谱中应当提及，但他仅说"叶子始于昆山，后为马掉"。未言何人，颇可怀疑；或者因此系博戏，有伤大雅，潘氏故为之讳吗？然据此使我们更可证明马吊之始，确在明的中叶了。

潘氏称马吊为马掉，据他解释，"谓马四足失一，则不可行"，故又称马掉脚。至李邺嗣《马吊说》云："谓之马吊者，言此戏人得二桌为本，今胜家上五桌，而三家适各一桌，其状如马立而吊其一足也。"皆言此戏如马的吊起一足。大约初作马掉，后来为简便计，改作马吊。

马吊牌是合四十叶纸牌而成的，此为当时纸牌的通制。此四十叶中，分为四门，即十字、万字、索子、文钱。十字凡十一叶，皆画有《水浒》人像，兹据《叶子谱》所录，分述如下：

尊万万贯——天魁星呼保义宋江，貌髯。
千万——天伤星行者武松。
百万——天罪星短命二郎阮小五，馘人首为双头，而自侧弁，呼曰『百歪头』是也。
九十——天败星活阎罗阮小七。
八十——天满星美髯公朱仝。
七十——地勇星病尉迟孙立。
六十——天威星双鞭呼延灼。
五十——天孤星花和尚鲁智深。
四十——天杀星黑旋风李逵。
三十——天暗星青面兽杨志。
二十——地慧星一丈青扈三娘。

以上为"十字"门，但没有"一十"，据云"十举成数，一不必纪，而二首焉。以偶对百，百而千，千而万，示极而不孤，处尊而不汰，数之成也"。其次为"万字"门，凡九叶，也画有《水浒》人像：

尊九万贯——天退星插翅虎雷横。
八万——天空星急先锋索超。
七万——天猛星霹雳火秦明。
六万——天微星九纹龙史进。
五万——天寿星混江龙李俊。
四万——天贵星小旋风柴进。
三万——天勇星大刀关胜。
二万——天英星小李广花荣。
一万——天巧星浪子燕青。

再次为“索子”门，亦九叶，贯钱百文为索，不画人像，仅画像贯钱的索形：

尊九索——自下矗四贯，叠二贯而锐其一。
八索——叠二而四之。
七索——叠二者三而斜其一。
六索——如六水双绕。
五索——如艮卦形。
四索——如双珠环。
三索——如品字形。
二索——如折足。
一索——如股钗。

最后为“文钱”门，凡十一叶，除“尊空没文”外，亦不画人像，而作像形之图：

尊空没文——原貌波斯进宝形，标曰『空一文』，其形全体，而矮足黑靴，或题为『矮脚虎』。以空为尊，反之也。
半文钱——花实各半，或曰『一枝花』，或曰『鬣客』。
一钱——如太极。自一至九，以所貌大小不以次。
二钱——如腰鼓。
三钱——如乾卦形。
四钱——如连环。
五钱——如五岳真形。
六钱——如坤卦形。
七钱——如北斗形。
八钱——如玦玉。
九钱——如三叠峰。

以上四十叶，其大小各依所列顺次，故前三门皆以数大为大，数小为小，惟后一门独相反，以数小为大，数大为小。《谱》云：“钱制圆而孔方，取象于大，反数于空，故尊空没文。空者所以贮也，当其无有贮之，用属波斯献焉。”至此种牌名，何以必用钱数，何以必画《水浒》人像，据清黎遂球《运掌经》云：

必以钱索十万为其类之名者，人之所重惟利，可以胜人惟利，慧者得利以兴，愚者因利以亡，凡五行之金，皆能杀人，不其然乎？有以杀人者也，有聚之而适以自杀者也。

又云：

是故署之以宋江之徒者，必勇敢忠义，然后可胜；而又非徒读书者所能知也，故署之以不知书之人。

可知皆有用意。盖博者惟利是图，常怀可胜之念，牌名取此，正合博的意义。至牌的戏法，《叶子谱》中述之颇详。惟此戏至清初渐见禁绝，至今知者已鲜，故所述或有不明之处，兹参以冯梦龙《马吊牌经》、黎遂球《运掌经》诸书，考证其戏法如下。下为《叶子谱》原文：

马掉以军令行之。法分四。垒，用昆山叶子四十张，各执其八，而虚八为中营，主将护之，以纪最殿，定赏罚焉。选将卢卜，植帜于坛，而三家环攻之。袒左整乱曰齐，袒右截拍而稽数，以标首出者，若狙张以侦四门。三家者遥应，而主将孤立无援。

此云四垒，当为四人。四人各执牌八张，余八张则置于中央。《运掌经》所谓“四人，四方也，余者置中，中央之象也。”《马吊牌经》亦云“马吊之法，三人同心，以攻一桩。”桩即桩家，即今称为庄家或头家，亦即上文所谓主将也，故有“三家环攻”“主将无援”之说。至“选将卢卜”，卢为骰子的采名，此亦如今打牌，必先掷骰以定庄家也。

军行八出，再捷为平，三为胜，以掉奇者。奇者与赤手等，不为功，而余勇者故示弱以饵之，蕲收全功焉。大都三家务合从，而主将衡之。居坛之上，虽尊兼毋吝留，虑敌以倖得偶；居坛之下，虽小劣必让，毋贪噬，欲分力以穷寇。主不讳显，客不嫌诈；显则易奏绩，而诈者有巧中。故其诈也，仅以愚主，而客皆默谕，不目挑，不指动，不声扬，不以堞示异，犯者皆下品。其显也，用以袭敌，不阽危，不持满，不市尊，不羞晚成，犯此者无胜策。三捷者胜一垒，而五捷亦胜一垒，善军者快三而愧五焉。五斯拙矣，五捷而收三垒，则巧莫如之。故七出者胜败之纽，逾此则弃其八。有制人者人勿顾，多奇功焉。家有全胜者无私让，有后却者无先雄，有劲掠者无饕小，以神运智，以人合天，以迟履泰，因微而显，较败为功，此不可以家户晓口舌诤也，悟者自得之尔。

此言戏的方法及智巧。戏的方法虽有规定，而智巧则“不可以家户晓口舌诤也。”所云“军行八出”，当是出牌八次，盖每人各有八张，即每人各出一张，互相比较，大胜小负。《马吊牌经》所谓“桩在上宜纵，桩在下宜截。顶张不嫌轻放，如九万放八万，八万放七万之类，苟非桩家皆可。同张不必累捉，如六万捉五万，五万捉四万之类。”其云放捉，皆大小之比。而桩在上在下二语，正与上文居坛之上之下意同。因为牌有八张，故初捷不为功，必待出至第七张，方为胜败的枢纽，《马吊牌经》亦云“失未及七，牌不可弃，美虽已尽，锐若方始，挫而不衰，久而弥整”是也。意即牌至第七，虽负尚有转胜希望，不能认为已无望的。

部中惟百万簪花，上国之将相也，犹齐之管晏，郑之侨肸，魏之信陵，虽臣而威震主矣，故其赏独专，败亦得，胜亦得，或倍之，以胜倍也；或三之，以自出师而三也，惟胜败均者尚焉。主将得百万无尊无捷，而胜居一矣。惟四尊并而百万无所庸，其胜四之；四尊而挟百万，则益而五之矣。四尊视虚叶之副，各以门取尊，而拍叶卷其上。军罢而稽程，故有尊而不胜者矣，未有百而不尊者也。叶之副而当尊，则兼者胜矣。兼者，尊之第二叶也。今娄水之间，或贵兼而抑尊，此无将之心所不取也。匹夫而称雄则极，或有时而尊，军司马纪录可也，势固无两尊矣。自先锋赏出师之捷，而十门无敢出者矣，执千兵者用墨守焉。先锋不见，则千兵无敢求功，十队无敢尝者，虑或为先锋诡得也，惟执百者可以十队傲焉，傲亦不能为豪，其他路弱矣。雄者辄一搏而纵奇兵，此射雕手也，胜则挫其锋矣。斗家有执先锋，以无偶而勿纪，则搏之功为懋。战者依法相进退，则叶之善经矣。先锋者何？百万是也，得先锋则喜，而得千兵则憎，用与不用殊也。

此上所述，乃为牌的高下问题。首言“百万”，因仅居“万万”“千万”之次，故如上国将相，其贵独专。次言“四尊”，即所谓“万万”“九万”“九索”“空文”；言“兼”，即所谓“千万”“八万”“八索”“半文”；言“先锋”，即所谓“百万”。惟“千兵”不详，疑为“千万”之类。十字门中，最尊为“万万”，次为“千万”，再次为“百万”。上文云“先锋不见，则千兵无敢求功，十队无敢尝者，虑或为先锋诡得也。”又云“得先锋则喜，而得千兵则憎，用与不用殊也。”大约“千万”本尊于“百万”，惟有诡得及用与不用的关系，所以虽有“千万”，有时反为百万所胜。此亦为技术问题，正如上文所谓“不可以家户晓口舌诤也，悟者自得之尔。”

总之，马吊牌用四十张纸牌，以四人为戏，人各八张，余八张留中。各人出牌，互相争斗，因牌有大小，故有先胜而后负的，也有先负而后胜的，全在智者运用得法与否而已。此戏清初犹复盛行，至乾隆时始渐禁绝，代之而兴者则为默和牌与碰和牌，其实还是沿袭马吊牌体制的。

八　默和碰和与马将

Mohe Poker, Penghe Poker and Mahjong

默和牌为清时纸牌之一，实由马吊牌转变而来，盖马吊牌清初虽犹盛行，但后似遭禁绝，于是制牌家仿其体制，改头换面，另制此牌。乾隆时金学诗撰《牧猪闲话》，其言今之纸牌，即首述默和牌云：

今之纸牌，形制调度，前人未有著录者，大约仿马吊牌而损益之。疑始于明之末造，而盛行于今世。虽乡僻处无地不有，非甚谨愿者无人不晓，较马吊牌奚啻十倍！纸牌长二寸许，横广不及半寸，绘画雕印，凡六十页为一具。页各有耦，共三十种，分为三门：曰『万贯』，曰『索子』，曰『文钱』，皆自一至九，共二十七种，余三种曰『幺头』。其一万贯，一索子，一文钱亦曰幺头。万贯皆绘画形，索子文钱则各绘其形制。聚客四人，案设罽旃，乃出戏具，拈一人为首，以次抹牌，每人各得十页，谓之『默和』。余二十页，另一人掌之，以次分递在局者，谓之『把和』，亦曰『矗角』，因其在座隅也。其法以三四页配搭连属为一副，三副俱成为胜，两家俱成以拈在先者为胜。凡牌未出皆覆，既出皆仰，视仰之形，测覆之数，以施斡运，则在神而明之。

这里所说，牌共六十页，虽较马吊多二十页，但因每页有二张，故反少了“十字”一门。各门一律改为九数，已较马吊为整齐。而“万贯”仍绘人形，是与马吊仍同。戏法则与马吊不同，以“三四页配搭连属为一副”，此三四页如何搭配，金氏未有说明，大约亦如今之打马将，顺数次而搭配罢！但后来又嫌六十页为数过少，增至一百二十页了，是为“碰和牌”，与此牌又有微异了。

碰和牌亦为清时纸牌之一，形制与默和牌全同，惟多加一具，故共有一百二十页。至其戏法，金学诗《牧猪闲话》云：

又或于（默和牌）六十页之外，更加一具为一百二十页，则每种各四页；或更加半具为一百五十页，则每种各五页。可集五六人为之，每人各得二十页以外，其余页皆掩覆，次第另抹，以备弃取，名曰『碰和』。原本『默和』之法而推衍之。抹得三页同色者曰『坎』，曰『碰』，四页同色者曰『开招』，五页同色最难得，曰『活招』。相传为前朝人图囿中所制，故有此等名目。或就其中数页，闲涂以金，抹得者以一页当二页，谓之『碰金和』。明末士大夫多好之。又有曰『献』、曰『闯』之目，方言俚语，不能具举，而识者以为流寇之谶，亦异闻也。

是此牌有一百二十页至一百五十页两种。戏者人数不定，以其有余页“次第另抹，以备弃取”，故称“碰和”，盖与现在马将之有碰和一样。至搭配方法，概须同色。大约每人二十余页，则三页搭配须六副至七副，四页仅五副可以了。按现在流行各地的纸牌，亦分万索文钱，一万至九万皆有水浒人物图像，索与文钱则没有了。此二十七种各有四张，共一百〇八张。另有“千万”四张，“枝花”四张，“全无”（即空文）四张，以上共百二十张，正与碰和牌张数相同，惟将“幺头”改为他称而已。另有福禄寿喜财五种，各一张，则为“花”，共一百二十五张，此为后来所增。是碰和牌现在仍复盛行，特少有变更而已。

以上诸牌皆为纸制，故亦通纸牌，至马将牌其初似亦为纸制，后则变为骨制。马将牌今亦称麻雀牌，简称雀牌。其称为马将，盖由马吊牌转变而来，又加将牌，故名。杜亚泉《博史》云：

天启马吊牌虽在清乾隆时尚行，但在明末时已受宣和牌及碰和牌之影响，变为默和牌。默和牌又受花将之影响，加东西南北四将，即成为马将牌。

又徐珂《清稗类钞》云：

麻雀，马吊之音之转也。吴人呼禽类如刁，去声读，不知何义？则麻雀之为马吊，已确而有征矣。

可知麻雀实为马吊之转音。麻雀两字根本无意义可言。近人法天《麻将学大纲》，以为牌中有“一索”，刻作麻雀形，故名，实出于臆说，不足为据。至马将牌创始于何时，据《博史》云：

马将牌创于何时，不能确定，但当较默和牌略后。默和牌始于明之末造，则马将牌之改作当在明亡以后矣。相传谓马将牌先流行于闽粤濒海各地及海舶间。清光绪初年，由宁波江厦延及津沪商埠。大约明亡以后，达官贵胄及其宗亲子弟，多奔走于浙闽两粤之海上，故流传此牌。清乾隆年间尚流行默和牌，未加将牌。乾隆以后，花和牌盛行，亦无人顾问。五口通商以后，海舶多聚于宁波江厦，各省贾客流寓江厦，繁盛过于上海，演习马将者遂日众。此时已改制骨牌，且加梅兰竹菊琴棋书画等花样，称为花马将，逐渐流行，由津沪波及全国，盖已五十余年于兹矣。

是杜氏以马将牌始于明亡之后，至花马将为近五十余年的事。（按：杜氏此书作于1931年，是花马将始于清之光绪初年。）明亡以后，此说甚为含混。若说清初已流行了，则乾隆时金学诗著《牧猪闲话》，叙述当时各种博戏甚详，独无此牌，似不足信。又据《清稗类钞·叉麻雀》云：

『粤寇』起事，军中用以赌酒，增入筒化、索化、万化、天化、王化，东南西北化，盖本伪封号也。行之未几，流入宁波，不久而遂普及矣。

此中所谓“用以赌酒”，即指明时的马吊牌，又增入筒索之类，遂成马将牌。是马将牌实始于太平军中，后乃流入宁波，与杜说“先流行于闽粤濒海各地”，后“由宁波延及津沪”，不谋而合。而时间则在道、咸之际，也较杜说“大约明亡以后”为可确信。盖此牌实远绍马吊牌，近由碰和牌转变而来，不过前者仍用纸制，后者改为骨制，而万索筒三门，万即万贯，索即索子，筒即文钱。（筒或应作铜，为铜钱之省文，惟现今多写作筒字。）自一至九，每种四张，也正与碰和牌同。惟另加中发白各四张，或谓即由通行纸牌中的千万枝花全无三者转变而来，以千万为中，枝花为发，全无为白。至东南西北四将，或诚如《清稗类钞》所云，为粤军所加。至今又有春夏秋冬、梅兰竹菊等等，则更为近年所增入。至其戏法，每人抹牌十三张，稍与碰和牌有异，但“其余更皆卷覆，次第另抹”，又复相同。抹得三张同色者曰“碰”，亦同；惟四张同色者曰“开招”，今称为“杠”。又有三张顺子者曰“吃”，此为碰和牌所没有的，似为后所增入。但马将牌本无时不在改变之中，如近年以来，打法更较早年大起变化，有所谓“百搭”的，随便定某牌为百搭，则无论何牌均可相配。而和牌方法，名目更多，有“不求人”，即牌皆自抹，不向人吃碰；有“全求人”，则吃碰皆求于人；有“清二色”，即和牌中只有二色；有“无花无字”，即和牌中无春夏秋冬东南西北之类;有“一板绞”,即有两个同样顺子;有“双板绞”,则有三个同样顺子;有“喜相逢”,即两个不同门顺子;有“双喜相逢”,即三个不同门顺子;有“一条龙”,即自幺至九牌皆顺次而全的;有“断幺九”,即全牌中没有幺九的;有“纯幺九”,则全牌中均为幺九的;有“七对头”,即十四张牌适成为七对子。至于称嵌档、边货、吊头等等,更不胜枚举。凡得以上诸牌者,均得增加一抬。其初幺九及花牌均作四和,余牌均作二和,故计和数甚为细繁。今则专算抬数,以底和一百起算,一抬二百和;二抬四百和,计算十分便利。马将至此,已较原来大异其趣,而种种戏法,渐改渐便,也不如从前的繁杂了。

九 摊钱及其他

Dice-playing Gambling and Other Games

摊钱古称掩或意钱,是汉时就有了的,直至现在还复流行，在博戏中可谓源流最长的了。按：《汉书·高惠高后孝文功臣表》有安丘侯张拾摶掩，完为城旦，颜师古注云："摶，六博也；掩，意钱之属也：皆谓戏而取人财也。"又《后汉书·梁冀传》，冀能意钱之戏，注引何承天《纂文》曰："意钱曰诡亿，一曰射意，一曰射数，即摊钱也。"意钱或摊钱，可谓历代皆有。其戏法不用博具，仅用钱数枚，如清金学诗《牧猪闲话》云：

揸摊者，随手取钱数十枚，不拘多寡，纳于器中，俟众压毕，乃取计之。每四枚为盈数，统计凡为四者若干，余零或一或二或三或成数，分为四门，以压得者为胜。俗谓之摊钱，亦曰摊铺，其钱不使叠映欺惑也。

此戏在广东更为盛行，且经官准开设，名为番摊，大约是番禺摊戏之意。近人邹鲁有《赌祸》一文（载《禁赌概览》），述其官准历史甚详，兹节录如下：

光绪甲申，张之洞任总督，番摊私赌林立，有汛馆、官堆馆、老师馆之目。汛馆官堆馆者，由驻扎该官堆之军人包庇之赌馆也，其赌馆即在该衙署门首。老师馆者，由进士翰林个人包庇之赌馆也，其赌馆无定地。三者之中，军人之势特横，时有侵及其余二者。至包庇费则每日五元至百元不等，官厅自此虽未直接收取番摊赌饷，然每年间接实收四十万元之漏规，充海防经费。至李鸿章总督两广，因西关赌馆发生命案，遂借口化私为公，大开番摊矣，是为官准番摊赌博之始。名曰海防经费，年饷二百余万两。

至此种番摊馆情形，据徐珂《清稗类钞》云：

广州有番摊馆，以兵守门。门外悬镁精灯或电灯，并张纸灯，大书『海防经费』等字，粤人所谓奉旨开赌者是也。尤大者则严防盗劫，时时戒备。博者入门，先以现金或纸币交馆中执事人，易其筹码，始得至博案前审视下注。博案之后，有围墙极厚，中开一孔，方广不及二尺。博者纳现金，执事人即持现金送入方孔，而于方孔中发递牙筹，如现金之数。博者即以牙筹为现金，博而胜，仍以原筹向方孔易现金，虽盈千累万，无不咄嗟立办。故极大之博场，一日之胜负虽多至数万数十万，而无丝毫现金可以取携，即有盗贼夺门而入，亦不能破此极厚之金库以掠现金也。

除此以外，尚有压宝、压扠、转骰、敲诗等等，皆以猜射为戏，与摊钱相似，兹均附说于此。《牧猪闲话》云：

压宝者，以一制钱闭盒中，分青龙、白虎、前、后四方之位，以钱压得宝字者为胜。压扠者，掉两钱使撇漩，伺其将定，以手捺之，亦分四门，两阴也，两阳也。若一阴一阳，则名曰扠。内一钱色稍赤，赤者得阳曰前扠，得阴曰后扠，压得者为胜。

又云：

今市井无籍，于广阕设博场。其具两头尖锐，四旁均作六面，镂如骰子之制，形类谏果，而有觚稜。先设局道，大书一二三四五六等字，然后举手按骰。观者乘其转跃未定时，以钱压向某字，射中者较其所压之钱，获采四倍；不中则阿堵饱设局者之橐矣。谓之转骰，颇类意钱之戏，实则骰子形制也。

按此今亦称摇骰，用骰子三枚，在缸中摇动，任博者下注，有大小及点数之分，实即由此转骰改变而来。至敲诗据《清稗类钞》云：

敲诗者，以纸条约四五寸长者为之，亦曰打诗宝。摘录七言或五言之诗句，于诗中隐去一字，注于纸尾，以封套笼之。即于诗句之旁，别书大意相通者四字，并纸尾原字则为五。另摊方纸于几，划为五度，以钱压其上。射中者一钱偿三钱。其五字中之极不通者，大抵即其所隐之字也。输赢固不巨，且託名风雅，然亦赌博之别派也。

按此今通称诗谜，实则并非是谜，盖若为谜语，则谜底决不显示于人。今诗句既有缺字，又将缺字示人，令人猜射，实与摊钱无异，不过方法稍有变更，举动较为雅驯而已。

十　扑克与弹子

Poker and Billiand

扑克（Poker）为西洋的纸牌戏，其传入我国，约在清道光年间五口通商以后，盖那时外人来华日多，于是此种博具，亦随之输入。据杜亚泉《博史》云：

予疑西洋纸牌与吾国古代之马吊牌，有相当之关系，因其类似之处甚多。如马吊牌为文钱、索子、万贯、万万贯四门，各门自一至九凡九张，西洋纸牌花式亦为四门，各门自一至十，凡十张，所差甚微，一也。马吊牌以一与九为大张，西洋纸牌亦以一与十为大张，二也。马吊牌以百老、红千、万胜为最尊，西洋纸牌亦有K、O、J三大张，均相类似，三也。马吊牌中大张多绘人形，西洋纸牌亦然，四也。予以此告西友某君，某君则以为社会上日用浅近事物，东西洋社会中近似者甚多，盖人同此心，心同此理，创作或相偶合，不必尽出于模仿。予亦以某君之言为然，然以谓创作之事物，偶合点必不至如此之多，因查阅西洋词书，知西洋纸牌，实起源于亚洲，于十字军战争时流入，且与印刷之流传大有关系，于是予之疑点，由是证实矣。

此中所谓西洋纸牌，即指扑克而言，可知实起源于我国，而后乃渐改变的。至其体制，牌共五十二张，分为四种花式：一为铁铲(spade)，二为红心(heart)，三为钻石(diamond)，四为圆柱(club)，以第一种为最大，以次至第四种为最小。每一种花式，共牌十三张，即A(ace)K(king)Q(queen)J(jack)十以至二。其中KQJ皆绘有人像，K为帝，Q为后，J为侍从。以A为最大，KQJ次之，十又次之，称五大张。自九至二，以数多为大，数少为小，次于五大张之后。若以点数计之，A可作十四点或一点，K为十三点，Q为十二点，J为十一点。玩时人数不拘，大约以七人为限，每人五张。如果觉得自己的牌不好，可向余牌掉换，但以三张为限。如此各比大小，以大者为胜。至牌的大小，最大为同花顺子(straight flush)，即五张花样全同，而点数又有顺次。次为大子(fours)，即五张中四张点数相同。次为全手(full or full house)，即五张中三张点数相同，另二张点数亦相同。次为同花(flush)，即五张花样相同，点数不同。次为顺子(straight)，即五张花样不同，而点数却有顺次。次为尅子(triplets)，即五张中有三张点数相同。次为两对(two pairs)，即五张中有两对子。次为对子(one pair)，即五张中只有一对子。如果连对子也没有，那当然最小，无所谓名称了。

扑克戏除上述外，其他戏法尚多，如“圈的温”(twenty one即廿一点)、爬沙蟹、捉和尚、拖黄包车等，不能悉述。

其次则为弹子(Billiand)，亦为西洋所传入，大约与扑克同时，地点最早当在上海。清黄式权《淞南梦影录》云：

> 择巨室设长木枱，长丈许，阔半之，覆以哆呢，而高其边。碾象牙为圆子如鸭卵大者四枚，拨以木棒，两相撞击，以角输赢，谓之『打弹子』。初惟寓沪西人藉以消遣，犹中国之围棋马吊也。自一品香设弹子房，继之者为洪园、华众会、阆苑、第一楼诸家。好事之徒无不邯郸学步，青楼妙妓亦间一至焉。又有大弹子者，铺长木为槽，纵约六七丈，槽尽处立小桩十枚，一人遥立以弹投之，能尽将木桩击倒，即可夺彩。斯真游冶之外篇，消遣之别调也。

按一品香系沪上旅社名，始建于光绪年间，故知此戏最早为华人所戏玩，当在其时。至今犹多设于各旅社及游艺场中，戏者仍多。

至弹子打法，先将弹子四枚（二红二白，红前白后）放在枱中央的四个黑点上。中央的黑点空着，预备为弹子丢出枱子时放在此处再打。打时两人相赛，各认一白弹为主弹，用杆向主弹打去，再由主弹转动，打着其他弹子两个以上，方算打着，否则无效。至计算胜负，即以打着个数为标准，凡主弹打着一白二红是五个亦可称五分，二红是三个，一红一白是两个，余无个无分。打时预先定好个数，如定为一百个，则先打满一百个者为胜。

图书在版编目（CIP）数据

中国游艺研究：小精装校订本 / 杨荫深编著. —
上海：上海辞书出版社，2020
（事物掌故丛谈）
ISBN 978-7-5326-5596-0

Ⅰ. ①中… Ⅱ. ①杨… Ⅲ. ①游戏－中国－通俗读物
②休闲娱乐－中国－通俗读物 Ⅳ. ①G898-49
②C913.3-49

中国版本图书馆CIP数据核字（2020）第098625号

事物掌故丛谈

中国游艺研究（小精装校订本）

杨荫深　编著

题　　签　邓　明　篆　　刻　潘方尔
绘　　画　赵澄襄　英　　译　秦　悦

策划统筹　朱志凌　责任编辑　李婉青　特约编辑　徐　盼
整体设计　赵　瑾　版式设计　姜　明　技术编辑　楼微雯

出版发行　上海世纪出版集团
　　　　　上海辞书出版社（www.cishu.com.cn）
地　　址　上海市陕西北路457号（邮编　200040）
印　　刷　上海雅昌艺术印刷有限公司
开　　本　889×1194毫米　1/32
印　　张　6.75
插　　页　4
字　　数　90 000
版　　次　2020年8月第1版　2020年8月第1次印刷
书　　号　ISBN 978-7-5326-5596-0/G·1072
定　　价　49.80元